JN058931

新星出版社

本書の特長と見方

「漢検」最新の試験問題を再現掲載！

令和2年度第1回（6月）から日本漢字能力検定の配当漢字の一部に変更があり、出題対象が増減しました。本書はこの新審査基準と毎年の出題傾向に対応した上で過去に出題された問題を分析し、実際に出題される問題を高い精度で再現しています。

常に最新の問題傾向が反映されるよう、毎年改訂を行っています。

出題テーマごとの頻出度順

検定試験で出題される出題テーマごとに、A・B・Cランクの頻出度順で掲載しています。

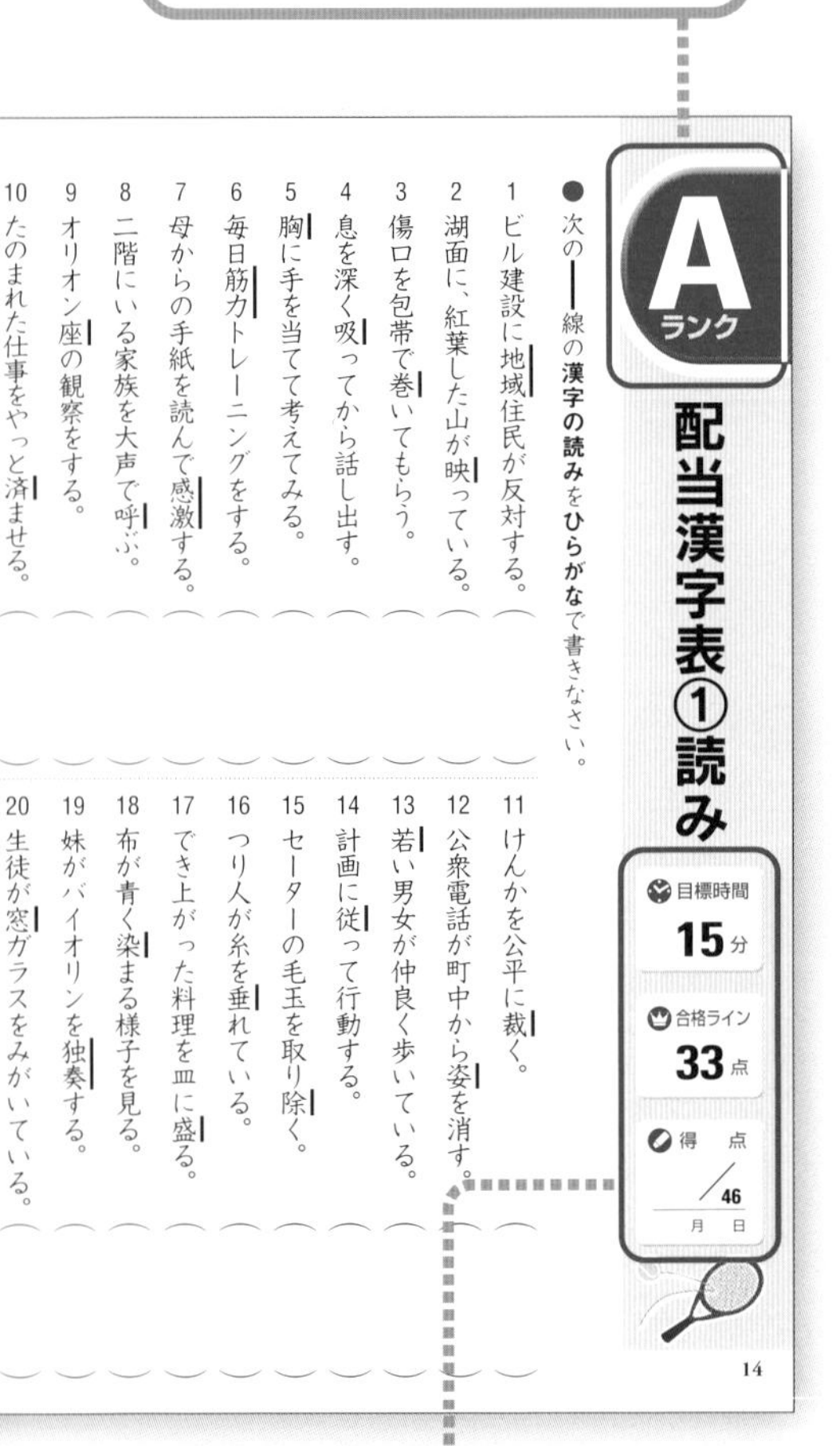

目標時間と得点

実際の試験時間と合格基準から換算した目標時間と合格ラインです。時間配分も意識して問題に取り組みましょう。

Aランク …過去の試験で最も出題頻度が高い問題

Bランク …よく出題されている問題

Cランク …出題頻度は高くはないが、実力に差をつける問題

書きこみ式解答らん

解答をそのまま書きこんで覚える書きこみ式解答らん。枠（わく）が広くて書きこみやすい！

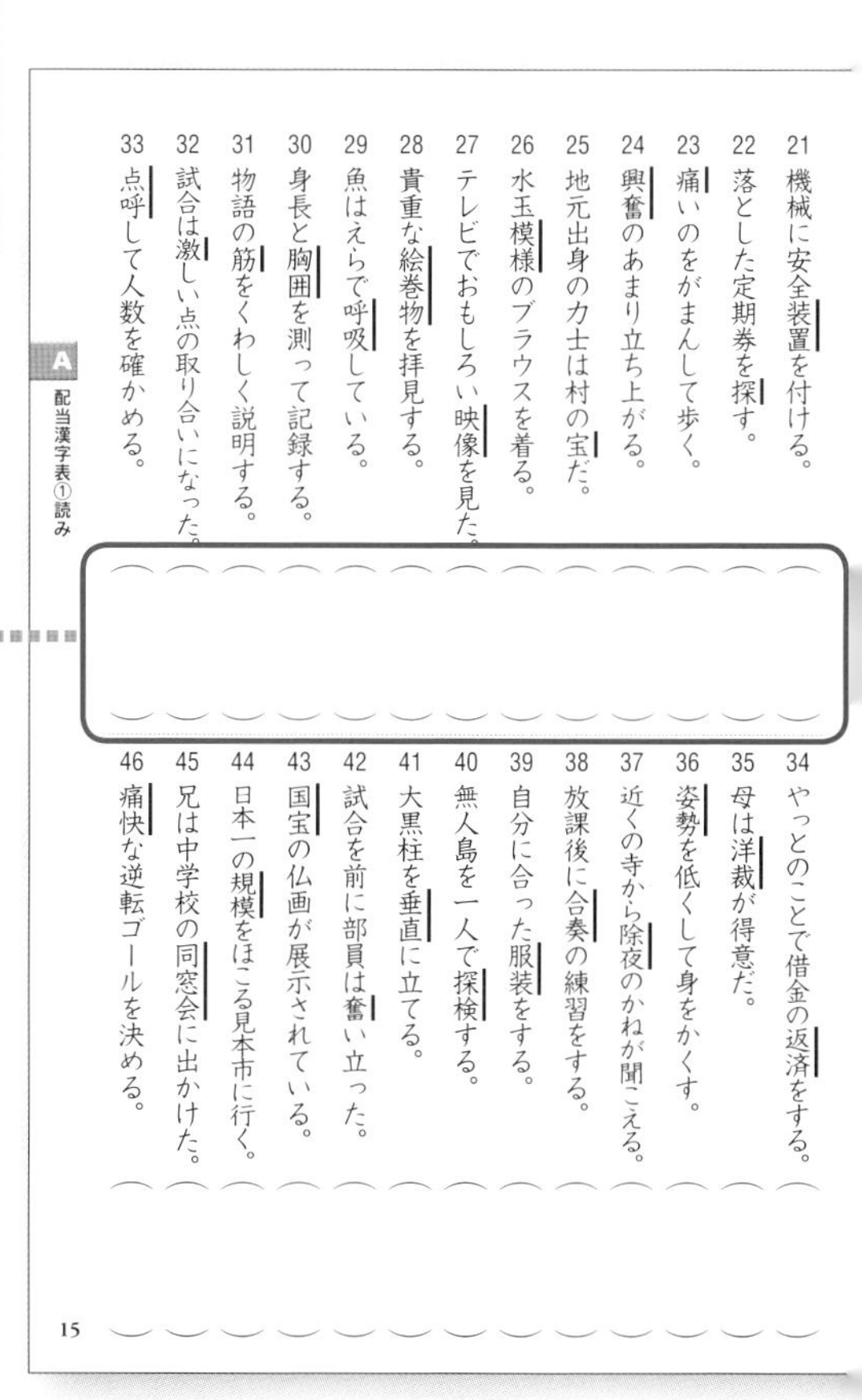

A 配当漢字表①読み

21 機械に安全装置を付ける。
22 落とした定期券を探す。
23 痛いのをがまんして歩く。
24 興奮のあまり立ち上がる。
25 地元出身の力士は村の宝だ。
26 水玉模様のブラウスを着る。
27 テレビでおもしろい映像を見た。
28 貴重な絵巻物を拝見する。
29 魚はえらで呼吸している。
30 身長と胸囲を測って記録する。
31 物語の筋をくわしく説明する。
32 試合は激しい点の取り合いになった。
33 点呼して人数を確かめる。

34 やっとのことで借金の返済をする。
35 母は洋裁が得意だ。
36 姿勢を低くして身をかくす。
37 近くの寺から除夜のかねが聞こえる。
38 放課後に合奏の練習をする。
39 自分に合った服装をする。
40 無人島を一人で探検する。
41 大黒柱を垂直に立てる。
42 試合を前に部員は奮い立った。
43 国宝の仏画が展示されている。
44 日本一の規模をほこる見本市に行く。
45 兄は中学校の同窓会に出かけた。
46 痛快な逆転ゴールを決める。

15

付録も充実（じゅう）!

出題範囲（はん）の漢字や部首の一覧、四字熟語の解説、特別な読みの用例など、役に立つ資料を巻末に掲載しました。

別冊には模擬（ぎ）試験3回分収録!

試験前の総仕上げ、弱点の発見に活用できる模擬試験問題３回分を収録しました。

学習のワンポイントアドバイス

まずは模擬試験を１回分解いてみて、自分の不得意な分野を知りましょう。

目次

本書の特長と見方……………2
受検ガイドと採点基準…………6
出題内容と得点のポイント………8

第1章

配当漢字表と「読み」・「書き取り」の問題……11
Aランク 配当漢字表①…………12
Aランク 配当漢字表①読み………14
Aランク 配当漢字表①書き取り……16
Aランク 配当漢字表②…………18
Aランク 配当漢字表②読み………20
Aランク 配当漢字表②書き取り……22
Bランク 配当漢字表①…………24
Bランク 配当漢字表①読み………26
Bランク 配当漢字表①書き取り……28
Bランク 配当漢字表②…………30
Bランク 配当漢字表②読み………32
Bランク 配当漢字表②書き取り……34
Bランク 配当漢字表③…………36
Bランク 配当漢字表③読み………38
Bランク 配当漢字表③書き取り……40
Cランク 配当漢字表①…………42
Cランク 配当漢字表①読み………44
Cランク 配当漢字表①書き取り……46
Cランク 配当漢字表②…………48
Cランク 配当漢字表②読み………50
Cランク 配当漢字表②書き取り……52

※本書の情報は2024年2月現在のものです。

第2章 テーマ別本試験型問題 …… 53

部首と部首名 …… 54
画数 …… 62
送りがな …… 70
音と訓 …… 74
四字の熟語 …… 84
対義語・類義語 …… 92
熟語作り …… 100
熟語の構成 …… 108
同じ読みの漢字 …… 116

付録

四字熟語 …… 122
熟字訓・当て字・特別な読みの
都道府県名と特別な読みの用例 …… 124
部首一覧 …… 125
5級以下の配当漢字表 …… 129
別冊 模擬試験問題の解答 …… 141

別冊

第1回模擬試験問題 …… 2
第2回模擬試験問題 …… 8
第3回模擬試験問題 …… 14
本試験の答案用紙のサンプル …… 20
本冊の解答 …… 22

● STAFF
デザイン・DTP／株式会社グラフト
イラスト／サヨコロ

受検ガイドと採点基準

検定日と検定時間

日本漢字能力検定が公開会場で実施されるのは、**年3回**です。検定時間は1～7級は60分です。開始時間の異なる級を選べば同時に複数級受検できます。

第1回　2024年6月16日
第2回　2024年10月20日
第3回　2025年2月16日

※変更の可能性があります

検定会場

個人：すべて公開会場での受検。受検地は、願書に載っている中から選ぶことができます。

団体（2級以下）：準会場で受検することもできます。準会場は、担当者の監督のもとに検定を行う会場です。公開会場とは異なる日にも検定を行えます。検定日ごとに問題は変わります。

漢検CBT：漢検CBT会場でコンピューターを使って漢検（2～7級）を受検できます。公開会場での年3回の検定日に限定されずに、都合のよい日程を選んで受検することができます。詳細についてはインターネット上で確認してください。

申しこみ方法と検定料

5級の検定料は公開会場が3000円、準会場は2000円。原則、検定日の約2か月前から約1か月前までに、インターネットより申しこんでください。

日本漢字能力検定協会のホームページ（https://www.kanken.or.jp/kanken/）にアクセスし、必要事項を入力することで申し込みができます。クレジットカードによる支払い、コンビニ決済が可能です。申し込み方法などは変更になることがありますので、最新情報は日本漢字能力検定協会のホームページでご確認ください。

● 漢字検定の採点基準

字の書き方	正しい筆画で大きく明確に書きましょう。行書体や草書体のようにくずした字や、乱雑な書き方は採点の対象外です。
字種・字体・読み	解答は内閣告示「常用漢字表」（平成22年）によります。ただし、旧字体での解答は正答と認められません。
仮名遣い	内閣告示「現代仮名遣い」によります。
送りがな	内閣告示「送り仮名の付け方」によります。
部　首	『漢検要覧　2～10級対応 改訂版』（公益財団法人日本漢字能力検定協会発行）収録の「部首一覧表と部首別の常用漢字」によります。
筆　順	原則は、文部省編『筆順指導の手びき』（昭和33年）によります。常用漢字一字一字の筆順は『漢検要覧　2～10級対応 改訂版』によります。

● 新審査基準による各級のレベルと出題内容

級	レベル（対象漢字数）	程度	主な出題内容										合格基準
4	中学校在学程度（1339字）	常用漢字＊のうち約1300字を理解し、文章の中で適切に使える。	漢字の読み	漢字の書き取り	部首・部首名	送りがな	対義語・類義語	同音・同訓異字	誤字訂正	四字熟語	熟語の構成		200点満点中 70％程度
5	小学校6年生修了程度（1026字）	小学校第6学年までの学習漢字を理解し、文章の中で漢字が果たしている役割に対する知識を身に付け、漢字を文章の中で適切に使える。	漢字の読み	漢字の書き取り	部首・部首名	筆順・画数	送りがな	対義語・類義語	同音・同訓異字	誤字訂正	四字熟語	熟語の構成	
6	小学校5年生修了程度（835字）	小学校第5学年までの学習漢字を理解し、文章の中で漢字が果たしている役割を知り、正しく使える。	漢字の読み	漢字の書き取り	部首・部首名	筆順・画数	送りがな	対義語・類義語	同音・同訓異字	三字熟語	熟語の構成		

＊常用漢字とは、平成22年11月30日付内閣告示による「常用漢字表」に示された2136字をいう。

● 検定に関する問い合わせ先

公益財団法人　日本漢字能力検定協会
〒605-0074 京都市東山区祇園町南側551番地
TEL：075-757-8600　FAX：075-532-1110
URL：https://www.kanken.or.jp/kanken/

◆**お問い合わせ窓口**
TEL：0120-509-315（無料）

出題内容と得点のポイント

5級で出題される漢字

5級で出題される漢字は、小学校6年生までの学習漢字1026字です。6年生の配当漢字(5級配当漢字)191字が中心になります(令和2年度から、5級配当漢字が10字増え、出題される漢字が20字増えました)。

1 読み　20問×1点

出題形式　文中の傍(ぼう)線部の漢字をひらがなになおす問題です。

出題範(はん)囲　基本的に5級配当漢字

「常用漢字表」にある読み方が出題されますが、熟字訓・当て字も出題されることがあります。

ポイント　かなづかいに注意しましょう。「じ」と「ぢ」、「ず」と「づ」の書き分けには注意が必要です。

2 部首と部首名　10問×1点

出題形式　漢字の部首と部首名を選(せん)択(たく)肢(し)から選ぶ問題です。

出題範囲　基本的に5級配当漢字

ポイント　漢和辞典により部首が異なる場合がありますが、本試験では協会の定めた分類に従います。

3 画数　10問×1点

出題形式　漢字の太字になっている部分が何画目かということと、その漢字の総画数を問う問題です。

出題範囲　基本的に5級配当漢字

ポイント　曲がっていても一画で書く部分に注意します。

匚・女・子・攵・廴・阝

4 送りがな　5問×2点

出題形式　文中のカタカナの部分を漢字一字と送りがなになおす問題です。

出題範囲　基本的に5級配当漢字

ポイント　送りがなのつけ方には原則があります。例えば、動詞や形容詞、形容動詞のような活用のある語は、原則として活用語尾(び)を送ります。ただし、語幹が「し」で終わる形容詞は、「し」から送り、活用語尾の前に「か」「やか」「らか」をふくむ形容動詞は、その音節から送ります。

5 音と訓　10問×2点

出題形式　熟語を構成する漢字の音・訓の組み合わせを選ぶ問題です。

出題範囲　5級配当漢字を使った熟語が多く出題

ポイント　熟語の読み方の原則は、上の字が音読みなら下の字も音読み、上の字が訓読みなら下の字も訓読みすることですが、実際には音と訓、訓と音の組み合わせもあります。注意して覚えましょう。

6 四字の熟語　10問×2点

出題形式　四字の熟語中の一字がカタカナで示されており、それを漢字になおす問題です。

出題範囲　5級配当漢字が中心

ポイント　二字熟語を二つ組み合わせた問題が多いです。

7 対義語・類義語　10問×2点

出題形式　対義語、類義語とも、対応する二字熟語のうちの一字を書く問題です。書き入れる漢字はひらがなの選択肢の中から選びます。

出題範囲　5級配当漢字が中心

ポイント　対義語、類義語ともひとつとは限りません。選択肢の中から適切なものを選びましょう。

8 熟語作り　5問×2点

出題形式　与(あた)えられた意味にあてはまる熟語を、選択肢の漢字を組み合わせて作る問題です。

出題範囲　基本的に熟語には5級配当漢字が含(ふく)まれる

9 熟語の構成　10問×2点

出題形式　熟語の構成は、4つの組み立てのパターンを示して、問題の熟語がそのどれに当たるかを問うものです。

出題範囲　5級配当漢字を使った熟語が多く出題

ポイント　構成のパターンは次の4つです。

ア　反対や対(つい)になる意味の字を組み合わせたもの
上の字と下の字の意味が反対のもの。
例：強弱、高低

イ　同じような意味の字を組み合わせたもの
上の字と下の字の意味が同じもの。
例：豊富、永久

ウ　上の字が下の字の意味を説明(修飾(しょく))しているもの
文に直してみる。
例：幼児（幼い↓子供）、軽視（軽く↓視(み)る）

エ　下の字から上の字へ返って読むと意味がよくわかるもの
下の字に「に」または「を」をつけて、上の字にかけてみる。
例：寄港（寄る↑港に）、護身（護(まも)る↑身を）

10 同じ読みの漢字　10問×2点

出題形式　二つの短文にある同じ読みのカタカナの部分をそれぞれ漢字になおす問題です。

出題範囲　5級配当漢字が多く出題

ポイント　文の内容や文中に使われるほかの熟語から、問題の漢字の意味を推理して考えましょう。

11 書き取り　20問×2点

出題形式　文中のカタカナの部分を漢字になおす問題です。

出題範囲　基本的に5級配当漢字

ポイント　問題の答えは楷(かい)書ではっきり書きます。

例　楷書体　行書体　草書体

はねるところ、とめるところに注意しましょう。

例　はねる　とめる　つきだす　つける

第1章

配当漢字表と「読み」・「書き取り」の問題

※第1章の解答は別冊22～28ページにあります。

学習の
ワンポイントアドバイス

配当漢字を中心に出題されるよ。
しっかり覚えて、満点を目指そう！

配当漢字表①

漢字	読み	画数	部首	部首名	筆順
域	音 イキ　訓 ——	11	土	つちへん	一 十 土 圢 圷 坷 垣 垣 垣 域 域
映	音 エイ　訓 うつ(る) うつ(す) は(える)㊥	9	日	ひへん	丨 冂 日 日 旧 昍 昍 映 映
巻	音 カン　訓 ま(く) まき	9	己	わりふ ふしづくり	丶 丷 䒑 兰 龹 关 券 巻 巻
吸	音 キュウ　訓 す(う)	6	口	くちへん	丨 口 口 叨 吸 吸
胸	音 キョウ　訓 むね むな㊥	10	月	にくづき	丿 月 月 月 肑 肑 肑 胸 胸 胸
筋	音 キン　訓 すじ	12	⺮	たけかんむり	丿 𠂉 𥫗 ⺮ ⺮ ⺮ 竻 竻 竻 筋 筋 筋

漢字	読み	画数	部首	部首名	筆順
激	音 ゲキ　訓 はげ(しい)	16	氵	さんずい	丶 氵 氵 氵 泊 泊 泊 泊 泊 泊 浡 浡 湧 湧 激 激
呼	音 コ　訓 よ(ぶ)	8	口	くちへん	丨 口 口 叮 叮 叮 呕 呼
座	音 ザ　訓 すわ(る)㊥	10	广	まだれ	丶 亠 广 广 庂 庂 庂 座 座 座
済	音 サイ　訓 す(む) す(ます)	11	氵	さんずい	丶 氵 氵 氵 汇 汶 汶 済 済 済 済
裁	音 サイ　訓 た(つ)㊥ さば(く)	12	衣	ころも	一 十 土 圭 圭 圭 圭 圭 裁 裁 裁 裁
姿	音 シ　訓 すがた	9	女	おんな	丶 冫 冫 次 次 次 姿 姿 姿

※「読み」のらんの（　）内は送りがなです。㊥は中学校で習う読み、㊫は高校で習う読みのことで、どちらも出題されません。

「呼」「若」「垂」「染」「宝」などは、画数が少ないけれど、画数の問題に出題されやすいよ！

漢字	読み	画数	部首	部首名	筆順
若	音 ジャク㊥ ニャク㊙高 訓 わか(い) も(しくは)高	8	艹	くさかんむり	一 十 艹 艹 芓 若 若 若
従	音 ジュウ ショウ高 ジュ高 訓 したが(う) したが(える)高	10	彳	ぎょうにんべん	ノ ク 彳 彳 彴 彸 徉 徉 徉 従
除	音 ジョ ジ㊥ 訓 のぞ(く)	10	阝	こざとへん	7 了 阝 阝 阾 阾 陉 陉 除 除
垂	音 スイ 訓 た(れる) た(らす)	8	土	つち	一 二 三 壬 垂 垂 垂 垂
盛	音 セイ㊥ ジョウ高 訓 も(る) さか(る)㊥ さか(ん)㊥	11	皿	さら	ノ 厂 万 成 成 成 成 成 盛 盛 盛
染	音 セン㊥ 訓 そ(める) そ(まる) し(みる)高 し(み)高	9	木	き	丶 冫 氵 氿 氿 氿 染 染 染
奏	音 ソウ 訓 かな(でる)高	9	大	だい	一 二 三 夫 夫 奏 奏 奏 奏

漢字	読み	画数	部首	部首名	筆順
窓	音 ソウ 訓 まど	11	穴	あなかんむり	丶 丷 宀 宂 穴 空 空 空 窓 窓 窓
装	音 ソウ ショウ㊥ 訓 よそお(う)高	12	衣	ころも	丨 丬 丬 壮 壮 壮 壮 装 装 装 装 装
探	音 タン 訓 さぐ(る)㊥ さが(す)	11	扌	てへん	一 十 扌 扌 扌 扌 扌 扌 探 探 探
痛	音 ツウ 訓 いた(い) いた(む) いた(める)	12	疒	やまいだれ	丶 亠 广 广 疒 疒 疒 疒 痛 痛 痛 痛
奮	音 フン 訓 ふる(う)	16	大	だい	一 ナ 大 大 衣 衣 奞 奞 奞 奞 奮 奮 奮 奮 奮 奮
宝	音 ホウ 訓 たから	8	宀	うかんむり	丶 丷 宀 宀 宁 宝 宝 宝
模	音 モ ボ 訓 ―	14	木	きへん	一 十 木 木 朩 朩 朩 朩 模 模 模 模 模 模

配当漢字表①読み

目標時間 15分

合格ライン 33点

得点 ／46

月　日

● 次の——線の**漢字の読み**を**ひらがな**で書きなさい。

1 ビル建設に地域住民が反対する。（　　）
2 湖面に、紅葉した山が映っている。（　　）
3 傷口を包帯で巻いてもらう。（　　）
4 息を深く吸ってから話し出す。（　　）
5 胸に手を当てて考えてみる。（　　）
6 毎日筋力トレーニングをする。（　　）
7 母からの手紙を読んで感激する。（　　）
8 二階にいる家族を大声で呼ぶ。（　　）
9 オリオン座の観察をする。（　　）
10 たのまれた仕事をやっと済ませる。（　　）

11 けんかを公平に裁く。（　　）
12 公衆電話が町中から姿を消す。（　　）
13 若い男女が仲良く歩いている。（　　）
14 計画に従って行動する。（　　）
15 セーターの毛玉を取り除く。（　　）
16 つり人が糸を垂れている。（　　）
17 でき上がった料理を皿に盛る。（　　）
18 布が青く染まる様子を見る。（　　）
19 妹がバイオリンを独奏する。（　　）
20 生徒が窓ガラスをみがいている。（　　）

21 機械に安全装置を付ける。
22 落とした定期券を探す。
23 痛いのをがまんして歩く。
24 興奮のあまり立ち上がる。
25 地元出身の力士は村の宝だ。
26 水玉模様のブラウスを着る。
27 テレビでおもしろい映像を見た。
28 貴重な絵巻物を拝見する。
29 魚はえらで呼吸している。
30 身長と胸囲を測って記録する。
31 物語の筋をくわしく説明する。
32 試合は激しい点の取り合いになった。
33 点呼して人数を確かめる。

34 やっとのことで借金の返済をする。
35 母は洋裁が得意だ。
36 姿勢を低くして身をかくす。
37 近くの寺から除夜のかねが聞こえる。
38 放課後に合奏の練習をする。
39 自分に合った服装をする。
40 無人島を一人で探検する。
41 大黒柱を垂直に立てる。
42 試合を前に部員は奮い立った。
43 国宝の仏画が展示されている。
44 日本一の規模をほこる見本市に行く。
45 兄は中学校の同窓会に出かけた。
46 痛快な逆転ゴールを決める。

配当漢字表①
書き取り

目標時間 **25**分

合格ライン **33**点

得点　／46

月　日

●次の――線の**カタカナ**を**漢字**になおしなさい。

1 一帯は遊泳禁止の**クイキ**だ。（　）
2 新作のアニメ**エイガ**を見る。（　）
3 好きなマンガの**ニカン**を読む。（　）
4 **シンコキュウ**をしてから始めた。（　）
5 **ドキョウ**のあるところを認められる。（　）
6 話の**スジ**がはっきりしなかった。（　）
7 **ハゲ**しい雨の中を歩く。（　）
8 友達をあだ名で**ヨ**ぶ。（　）
9 指定された**ザセキ**にこしかける。（　）
10 なにもかも話したら気が**ス**んだ。（　）

11 殺人の罪で**サバ**かれる。（　）
12 自分の**スガタ**を鏡にうつす。（　）
13 村にいる**ワカモノ**に話を聞く。（　）
14 上司の指示に**シタガ**う。（　）
15 庭に生えた雑草を取り**ノゾ**く。（　）
16 赤ちゃんの口からよだれが**タ**れる。（　）
17 点が入って試合が**モ**り上がった。（　）
18 夕日で空が赤く**ソ**まる。（　）
19 大会はバンドの**エンソウ**で始まった。（　）
20 女の子が**マド**から手をふっている。（　）

21 おみやげを店の人に**ホウソウ**してもらう。（　　）
22 落としたコンタクトレンズを**サガ**す。（　　）
23 かぜをひいてのどが**イタ**い。（　　）
24 見事な逆転劇に観客は**コウフン**した。（　　）
25 **タカラ**の持ちぐされ（　　）
26 思い切って部屋の**モヨウ**がえをする。（　　）
27 **チイキ**のボランティア活動をする。（　　）
28 テレビに友達の顔が**ウツ**る。（　　）
29 姉はスカーフを**マ**いて出かけた。（　　）
30 森のさわやかな空気を**ス**う。（　　）
31 新しい学校生活に**ムネ**をはずませる。（　　）
32 ジムに通って**キンニク**をきたえる。（　　）
33 劇に**カンゲキ**して泣いてしまった。（　　）

34 プラネタリウムで秋の**セイザ**を見る。（　　）
35 大学で**ケイザイ**の勉強をする。（　　）
36 注目の事件の**サイバン**が始まる。（　　）
37 モデルが美しい**シセイ**で歩く。（　　）
38 木々の**ワカバ**が色づく。（　　）
39 **スイチョク**に交わる線を引く。（　　）
40 話し合いで**ジュウライ**のやり方を変えた。（　　）
41 地味な**フクソウ**で出かけた。（　　）
42 バスの**シャソウ**から外をながめる。（　　）
43 親のありがたさを**ツウセツ**に感じる。（　　）
44 戦士は勇気を**フル**いおこした。（　　）
45 妻に**ホウセキ**をプレゼントする。（　　）
46 兄と城の**モケイ**を作る。（　　）

配当漢字表②

漢字	遺	延	沿	我	干	警
読み	音 イ、ユイ(中) 訓 ―	音 エン 訓 の(びる)、の(べる)、の(ばす)	音 エン 訓 そ(う)	音 ガ(中) 訓 われ、わ(中)	音 カン 訓 ほ(す)、ひ(る)(中)	音 ケイ 訓 ―
画数	15	8	8	7	3	19
部首	辶	廴	氵	戈	干	言
部首名	しんにょう しんにゅう	えんにょう	さんずい	ほこづくり ほこがまえ	かん いちじゅう	げん
筆順	丶 口 口 中 虫 冉 冉 冑 貴 貴 貴 貴 潰 遺 遺	一 丆 千 叶 正 征 延 延	丶 冫 氵 氵 氵八 沁 沿 沿	ノ 二 于 手 手 我 我	一 二 干	一 艹 艹 芍 苟 苟 苟 苟 苟 敬 敬 敬 敬 警 警 警 警 警 警

漢字	源	厳	誤	降	刻	骨
読み	音 ゲン 訓 みなもと	音 ゲン、ゴン(高) 訓 おごそ(か)(中)、きび(しい)	音 ゴ 訓 あやま(る)	音 コウ 訓 お(りる)、お(ろす)、ふ(る)	音 コク 訓 きざ(む)	音 コツ 訓 ほね
画数	13	17	14	10	8	10
部首	氵	⺍	言	阝	刂	骨
部首名	さんずい	つかんむり	ごんべん	こざとへん	りっとう	ほね
筆順	丶 冫 氵 汀 沥 沥 沥 沥 沥 源 源 源 源	丶 丷 丷 严 严 严 严 屵 屵 屵 屵 屵 屵 厳 厳 厳 厳	丶 亠 亠 言 言 言 言 訂 訂 訂 誤 誤 誤 誤	7 阝 阝 阝 阶 陉 陉 降 降 降	丶 亠 亡 亥 亥 亥 亥 刻	丨 冂 冂 冂 冎 冎 冎 骨 骨 骨

「厳しい」「洗う」「届ける」「拝む」「幼い」は送りがなの問題によく出題されるので要チェック！

漢字	読み	画数	部首	部首名	筆順
推	音 スイ 訓 お(す)㊥	11	扌	てへん	一 十 扌 扌 扌 扌 扌 扌 推 推 推
洗	音 セン 訓 あら(う)	9	氵	さんずい	丶 冫 氵 氵 汁 汁 汫 洗 洗
蔵	音 ゾウ 訓 くら㊥	15	艹	くさかんむり	一 十 艹 产 芦 芦 芦 芦 芦 芦 芦 蔵 蔵 蔵 蔵
暖	音 ダン 訓 あたた(か) あたた(かい) あたた(まる) あたた(める)	13	日	ひへん	丨 冂 日 日 日 日 日 日 旺 旺 旺 暖 暖
頂	音 チョウ 訓 いただ(く) いただき	11	頁	おおがい	一 丁 丁 丁 丁 丁 丁 丁 頂 頂 頂
展	音 テン 訓 ――	10	尸	かばね しかばね	一 コ 尸 尸 尸 尸 屏 屏 展 展
届	音 ―― 訓 とど(ける) とど(く)	8	尸	かばね しかばね	一 コ 尸 尸 局 届 届 届

漢字	読み	画数	部首	部首名	筆順
乳	音 ニュウ 訓 ちち ち㊥	8	し	おつ	一 ⺈ 爫 爫 孚 孚 乳 乳
拝	音 ハイ 訓 おが(む)	8	扌	てへん	一 十 扌 扌 扌 扌 扌 拝
俳	音 ハイ 訓 ――	10	亻	にんべん	ノ 亻 亻 亻 亻 亻 俳 俳 俳 俳
暮	音 ボ㊥ 訓 く(れる) く(らす)	14	日	ひ	一 十 艹 艹 苎 苎 草 草 莫 莫 暮 暮 暮 暮
訪	音 ホウ 訓 おとず(れる)㊥ たず(ねる)	11	言	ごんべん	丶 亠 亠 亠 言 言 言 訁 訁 訪 訪
訳	音 ヤク 訓 わけ	11	言	ごんべん	丶 亠 亠 亠 言 言 言 訁 訁 訳 訳
幼	音 ヨウ 訓 おさな(い)	5	幺	よう いとがしら	く 幺 幺 幻 幼

配当漢字表②読み

目標時間 15分

合格ライン 33点

得点 ／46

月　日

● 次の——線の**漢字の読み**を**ひらがな**で書きなさい。

1 世界遺産を見て回る。（　）
2 雨で運動会が延期になった。（　）
3 太平洋の沿岸に台風が接近する。（　）
4 我を忘れてはしゃいでいる。（　）
5 ベランダにふとんを干す。（　）
6 大臣の身辺を警護する。（　）
7 上流で川の源を見つけた。（　）
8 厳しい寒さにたえる。（　）
9 知人のことで友達に誤解される。（　）
10 車から降りてタイヤを調べる。（　）

11 ねん土に自分の名前を刻む。（　）
12 骨の付いたままの肉を焼く。（　）
13 風による推進力で船が進む。（　）
14 手を流水できれいに洗う。（　）
15 お地蔵さまに花を供える。（　）
16 地球の温暖化が進んでいる。（　）
17 人気絶頂の歌手が映画に出演する。（　）
18 小学生の絵が展示されている。（　）
19 外国にいる父から絵はがきが届く。（　）
20 牧場で牛の乳をしぼる。（　）

21 寺院の建築物を拝観する。（　　）
22 散歩しながら俳句を作る。（　　）
23 あっという間に日が暮れた。（　　）
24 大臣が諸外国を訪問する。（　　）
25 訳が分からないことを言い出す。（　　）
26 幼いころの思い出を大切にする。（　　）
27 作文のしめ切りが少し延びた。（　　）
28 川に沿った道を歩いて帰る。（　　）
29 水不足で干害に見まわれる。（　　）
30 省エネのためにテレビの電源を切る。（　　）
31 危険物を厳重に管理する。（　　）
32 新聞の記事に誤りがあった。（　　）
33 雨が降るなかで試合をする。（　　）

34 事態を深刻に受け止める。（　　）
35 鉄骨をクレーンで持ち上げる。（　　）
36 洗面所で手のよごれを落とした。（　　）
37 十万冊以上の本を所蔵している。（　　）
38 暖かい日ざしが気持ちいい。（　　）
39 山の頂に雲がかかっている。（　　）
40 ヨーグルトは乳製品だ。（　　）
41 東京タワーから初日の出を拝む。（　　）
42 だんだん暮らしにくくなってきた。（　　）
43 新築した友人の家を訪ねる。（　　）
44 来日した映画スターの通訳をする。（　　）
45 カブトムシの幼虫を育てる。（　　）
46 北の地方は降雪量が多い。（　　）

配当漢字表② 書き取り

目標時間 25分
合格ライン 33点
得点 ／46
月　日

●次の――線のカタカナを漢字になおしなさい。

1 祖父の**イサン**を相続する。（　　）
2 映画の公開が**エンキ**となった。（　　）
3 海岸に**ソ**って道路が続いている。（　　）
4 あまりの喜びに**ワレ**を忘れる。（　　）
5 **ホ**しがきを作って食べる。（　　）
6 早朝に大雨の**ケイホウ**が出された。（　　）
7 **シゲン**ごみを回収する。（　　）
8 火気**ゲンキン**の注意書きがある。（　　）
9 弘法（こうぼう）にも筆の**アヤマ**り（　　）
10 雨**フ**って地固まる（　　）

11 ねぎを**キザ**んでうどんに入れる。（　　）
12 **ホネ**折り損のくたびれもうけ（　　）
13 **スイリ**小説を読むのが好きだ。（　　）
14 頭をシャンプーで**アラ**う。（　　）
15 食料と水を**チョゾウ**しておく。（　　）
16 **オンダン**な気候は過ごしやすい。（　　）
17 山の**イタダキ**に雪が積もっている。（　　）
18 美術館に**テンジ**された絵を見る。（　　）
19 取引先から注文書が**トド**く。（　　）
20 ヤギの**チチ**をしぼる体験学習をした。（　　）

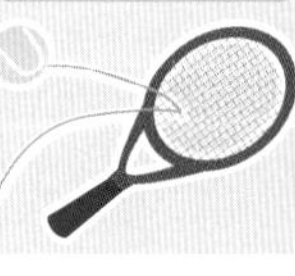

21 大きな神社に**サンパイ**する。

22 学校で**ハイク**の季語を習う。

23 **ユウグ**れの空が美しかった。

24 今週は家庭**ホウモン**がある。

25 **ワケ**を話して許してもらう。

26 **オサナ**い弟と妹の世話をする。

27 貸し出し期間を**エンチョウ**する。

28 ここは**エンガン**漁業がさかんだ。

29 潮の**カンマン**の差を調べる。

30 大きくなったら**ケイサツカン**になりたい。

31 先生に**キビ**しく指導される。

32 答案に**ゴジ**がないか見直す。

33 駅前でタクシーを**オ**りた。

34 庭に**アタタ**かい日がさしている。

35 雪道で転んで**コッセツ**した。

36 念入りに**センガン**する。

37 牛肉を**レイゾウ**して保存する。

38 **チョウジョウ**まであと少しだ。

39 思いもよらない**テンカイ**になった。

40 給食には必ず**ギュウニュウ**が出る。

41 手を合わせて仏像を**オガ**む。

42 外国での**ク**らしにも慣れてきた。

43 二十年ぶりに母校を**タズ**ねる。

44 中国語を日本語に**ヤク**す。

45 **ヨウジ**が公園を走り回っている。

46 急行列車の発車**ジコク**になる。

B ランク

配当漢字表①

漢字	読み	画数	部首	部首名	筆順
宇	音 ウ 訓 —	6	宀	うかんむり	丶 丷 宀 宀 宇 宇
恩	音 オン 訓 —	10	心	こころ	丨 冂 冃 円 冈 因 因 恩 恩 恩
灰	音 カイ㊥ 訓 はい	6	火	ひ	一 厂 厂 仄 灰 灰
割	音 カツ㊥ 訓 わ(る) わり わ(れる) さ(く)㊥	12	刂	りっとう	丶 丷 宀 宀 宀 宝 宝 宝 害 害 害 割
看	音 カン 訓 —	9	目	め	一 二 三 手 手 看 看 看 看
危	音 キ 訓 あぶ(ない) あや(うい)㊥ あや(ぶむ)㊥	6	㔾	わりふ ふしづくり	ノ ク 𠂊 产 危 危

漢字	読み	画数	部首	部首名	筆順
机	音 キ㊥ 訓 つくえ	6	木	きへん	一 十 才 木 朷 机
揮	音 キ 訓 —	12	扌	てへん	一 十 扌 扌 扩 扩 扩 挘 揮 揮 揮 揮
郷	音 キョウ ゴウ㊥ 訓 —	11	阝	おおざと	ㄑ 乡 乡 纟 纟 纟 郷 郷 郷 郷 郷
勤	音 キン ゴン㊫ 訓 つと(める) つと(まる)	12	力	ちから	一 十 艹 艹 苎 苎 革 革 革 堇 勤 勤
系	音 ケイ 訓 —	7	糸	いと	一 乙 幺 幺 系 系 系
穴	音 ケツ㊥ 訓 あな	5	穴	あな	丶 丷 宀 宂 穴

「勤める」は働くこと、「努める」は力をつくして行うこと、「務める」は役目として事にあたることだよ。

漢字	読み	画数	部首	部首名	筆順
樹	音 ジュ 訓 ―	16	木	きへん	一 十 木 木 木 杜 桔 桔 桔 桔 桔 桔 樹 樹
障	音 ショウ 訓 さわ(る)高	14	阝	こざとへん	㇇ 了 阝 阝 阝 阝 阝 阝 陪 陪 陪 陪 障 障
舌	音 ゼツ中 訓 した	6	舌	した	一 二 千 千 舌 舌
泉	音 セン 訓 いずみ	9	水	みず	ノ ｲ 白 白 白 皁 泉 泉 泉
操	音 ソウ 訓 みさお高 あやつ(る)中	16	扌	てへん	一 十 扌 扌 扣 扣 扣 扣 掃 掃 掃 掃 操 操 操 操
存	音 ソン ゾン 訓 ―	6	子	こ	一 ナ ナ 疒 存 存
担	音 タン 訓 かつ(ぐ)高 にな(う)高	8	扌	てへん	一 十 扌 扌 扣 扣 担 担
認	音 ニン中 訓 みと(める)	14	言	ごんべん	丶 亠 亠 言 言 言 言 訂 訒 訒 認 認 認 認

漢字	読み	画数	部首	部首名	筆順
背	音 ハイ 訓 せ せい そむ(く)中 そむ(ける)中	9	肉	にく	一 ㇐ 彐 北 北 背 背 背 背
並	音 ヘイ中 訓 なみ なら(べる) なら(ぶ) なら(びに)	8	一	いち	丶 丷 丷 亠 并 并 並 並
閉	音 ヘイ 訓 と(じる) と(ざす)中 し(める) し(まる)	11	門	もんがまえ	丨 冂 戸 門 門 門 門 門 門 閉 閉
忘	音 ボウ中 訓 わす(れる)	7	心	こころ	丶 亠 亡 亡 忘 忘 忘
棒	音 ボウ 訓 ―	12	木	きへん	一 十 木 木 木 杆 杆 桂 桂 桂 棒 棒
預	音 ヨ 訓 あず(ける) あず(かる)	13	頁	おおがい	㇇ マ 又 予 予 予 預 預 預 預 預 預 預
乱	音 ラン 訓 みだ(れる) みだ(す)	7	し	おつ	一 二 千 千 舌 舌 乱
論	音 ロン 訓 ―	15	言	ごんべん	丶 亠 亠 言 言 言 言 訁 訟 訟 論 論 論 論 論

配当漢字表①読み

目標時間 15分
合格ライン 33点
得点 ／46
月 日

● 次の——線の**漢字の読み**を**ひらがな**で書きなさい。

1 宇宙ステーションで生活する。（ ）
2 助けてもらった恩を返す。（ ）
3 炭が燃えつきて灰となる。（ ）
4 割り算の問題を解く。（ ）
5 昼も夜も病人の看護をする。（ ）
6 危ない場所では遊ばない。（ ）
7 机といすをきれいに並べる。（ ）
8 父は世界的に有名な指揮者だ。（ ）
9 旅先の郷土料理を楽しむ。（ ）
10 休日は交代で勤務する。（ ）

11 姉は青系統の服をよく着る。（ ）
12 バケツに穴があいている。（ ）
13 カブトムシが樹液を吸っている。（ ）
14 障子を自分で張りかえる。（ ）
15 おいしい魚に舌つづみを打つ。（ ）
16 冷たい泉の水を飲む。（ ）
17 祖父はパソコンの操作が苦手だ。（ ）
18 保存用の入れ物にしまっておく。（ ）
19 クラスの担任の先生に相談する。（ ）
20 自分の誤りを認める。（ ）

21 父は背広を着て会社に行く。
22 黒い石が五個並んでいる。
23 店は十一時に閉まるそうだ。
24 ドアにかぎをかけるのを忘れる。
25 公園で鉄棒の練習をする。
26 定期預金を解約することにした。
27 停電により各地で混乱が続く。
28 国会で法案について議論する。
29 白と黒の絵の具を混ぜて灰色にする。
30 ボールが当たってガラスが割れた。
31 強い風がふいて看板が飛んだ。
32 暗い道で危険を感じる。
33 郷里にはしばらく帰っていない。

34 兄は銀行に勤めている。
35 キノコがよくとれる穴場がある。
36 注目の選手が新記録を樹立した。
37 家族で温泉旅行に行く。
38 弟はおばけの存在を信じている。
39 美しい山を背景に写真をとる。
40 イチョウ並木がきれいだ。
41 大会は無事に幕を閉じた。
42 綿棒でひざに薬をぬる。
43 げたを預ける
44 走って来たので呼吸が乱れた。
45 言論の自由が守られる。
46 残ったスープを密閉容器に入れる。

B 配当漢字表①読み

配当漢字表① 書き取り

目標時間 25分

合格ライン 33点

得点 ／46

月 日

● 次の――線の**カタカナ**を**漢字**になおしなさい。

1 **ウチュウ**を旅するのが夢だ。（　　）
2 **オン**をあだで返す（　　）
3 **ハイザラ**は吸いがらでいっぱいだ。（　　）
4 コップを落として**ワ**ってしまった。（　　）
5 大きな**カンバン**がかかっている。（　　）
6 夜道を一人で歩くのは**アブ**ない。（　　）
7 **ツクエ**の上をきれいに片づける。（　　）
8 いざという時に力が**ハッキ**できない。（　　）
9 **キョウリ**かららりんごが届く。（　　）
10 おばは出版社に**ツト**めている。（　　）

11 先祖の**カケイ**図を見る。（　　）
12 くつ下に**アナ**があいている。（　　）
13 さまざまな**ジュモク**が立ちならぶ。（　　）
14 エンジンの**コショウ**でバスが止まった。（　　）
15 犬が長い**シタ**を垂らしている。（　　）
16 **オンセン**旅行の計画を立てる。（　　）
17 週に二回、**タイソウ**教室に通っている。（　　）
18 文化財を永久に**ホゾン**する。（　　）
19 税の**フタン**が増える。（　　）
20 みんなに能力を**ミト**められる。（　　）

21 兄は私よりも**セ**が十センチ高い。

22 たくさんの商品を**ナラ**べる。

23 目を**ト**じてじっと考える。

24 電車にかさを**ワス**れた。

25 犬も歩けば**ボウ**に当たる

26 銀行口座から**ヨキン**を下ろす。

27 雨で列車のダイヤが**ミダ**れる。

28 社会問題について**トウロン**する。

29 収入における食費の**ワリアイ**が高い。

30 つきっきりで**カンビョウ**する。

31 **キケン**なので近づくな。

32 外国でオーケストラの**シキ**をする。

33 **キョウド**ならではの祭りがある。

34 父は地方に**テンキン**になった。

35 おじは**カジュエン**を営んでいる。

36 **ショウガイブツ**競走で一等になる。

37 **イズミ**のそばで休む。

38 なかなか機械の**ソウサ**に慣れない。

39 自分にとって友の**ソンザイ**は大きい。

40 **ブンタン**して仕事をする。

41 事件の**ハイケイ**が明らかになる。

42 ドアが風で自然に**シ**まった。

43 受付でかばんを**アズ**かる。

44 **ヨロン**調査の結果を報じる。

45 残念ですが今月で**ヘイテン**します。

46 道にごみが**サンラン**していた。

配当漢字表②

漢字	読み	画数	部首	部首名	筆順
拡	音 カク 訓 ―	8	扌	てへん	一 十 扌 扌 扩 扩 拡 拡
株	音 ― 訓 かぶ	10	木	きへん	一 十 才 木 木 杧 杵 株 株 株
貴	音 キ 訓 たっと(い)㊥ とうと(い)㊥ たっと(ぶ)㊥ とうと(ぶ)㊥	12	貝	かい こがい	丶 口 口 中 中 冉 冑 冑 冑 冑 貴 貴
敬	音 ケイ 訓 うやま(う)	12	攵	のぶん ぼくづくり	一 十 艹 艹 芍 芍 苟 苟 苟 苟 敬 敬
絹	音 ケン㊣ 訓 きぬ	13	糸	いとへん	く 幺 幺 糸 糸 糸 糸 紀 紀 紀 絹 絹 絹
紅	音 コウ ク㊥ 訓 べに くれない㊥	9	糸	いとへん	く 幺 幺 糸 糸 糸 糸 紅 紅

漢字	読み	画数	部首	部首名	筆順
困	音 コン 訓 こま(る)	7	囗	くにがまえ	丨 冂 冃 円 用 困 困
砂	音 サ シャ㊥ 訓 すな	9	石	いしへん	一 ア 石 石 石 矴 矴 砂 砂
策	音 サク 訓 ―	12	⺮	たけかんむり	ノ 𠂉 𥫗 𥫗 竹 竹 竺 竺 笞 笧 策 策
至	音 シ 訓 いた(る)	6	至	いたる	一 工 云 云 至 至
視	音 シ 訓 ―	11	見	みる	丶 ラ ネ ネ 礻 祁 祁 祁 視 視 視
射	音 シャ 訓 い(る)	10	寸	すん	ノ 亻 冂 冃 自 身 身 身 射 射

「策」は、四字の熟語の問題で出題されやすい漢字。「災害対策」「景気対策」などの形で出題されるよ。

漢字	読み（音）	読み（訓）	画数	部首	部首名	筆順
縦	ジュウ	たて	16	糸	いとへん	く 幺 幺 糸 糸 糸 糸 糸 紒 紒 紒 紒 紒 紒 縦 縦
縮	シュク	ちぢ(む)　ちぢ(まる)　ちぢ(める)　ちぢ(れる)　ちぢ(らす)	17	糸	いとへん	く 幺 幺 糸 糸 糸 紒 紒 紵 紵 紵 紵 紵 縮 縮 縮 縮
将	ショウ	―	10	寸	すん	丨 丬 丬 丬 丬 丬 丬 丬 将 将
傷	ショウ	きず　いた(む)㊥　いた(める)㊥	13	亻	にんべん	ノ 亻 亻 亻 亻 亻 亻 亻 亻 傷 傷 傷 傷
蒸	ジョウ	む(す)㊥　む(れる)㊥　む(らす)㊥	13	艹	くさかんむり	一 十 艹 艹 芓 芓 芓 茏 茏 茏 茏 蒸 蒸
針	シン	はり	10	金	かねへん	ノ 人 亼 亼 全 全 余 金 金 針
聖	セイ	―	13	耳	みみ	一 厂 F F E 耳 耳 耳 耶 耶 聖 聖 聖
宣	セン	―	9	宀	うかんむり	丶 丷 宀 宀 宀 宀 宀 宣 宣

漢字	読み（音）	読み（訓）	画数	部首	部首名	筆順
層	ソウ	―	14	尸	かばね　しかばね	㇕ コ 尸 尸 尸 尸 尸 屈 屈 屈 層 層 層 層
尊	ソン	たっと(い)　とうと(い)　たっと(ぶ)　とうと(ぶ)	12	寸	すん	丶 丷 䒑 䒑 酋 酋 酋 酋 酋 酋 尊 尊
宙	チュウ	―	8	宀	うかんむり	丶 丷 宀 宀 宀 宙 宙 宙
敵	テキ	かたき㊥	15	攵	のぶん　ぼくづくり	丶 亠 亠 亠 产 产 产 啇 啇 啇 啇 啇 啇 敵 敵
俵	ヒョウ	たわら	10	亻	にんべん	ノ 亻 仁 什 仹 仹 仹 俵 俵 俵
腹	フク	はら	13	月	にくづき	丿 月 月 月 月 月 月 月 月 月 月 腹 腹
補	ホ	おぎな(う)	12	衤	ころもへん	丶 ラ 礻 礻 礻 衤 衤 衤 衤 衤 補 補
優	ユウ	やさ(しい)㊥　すぐ(れる)㊥	17	亻	にんべん	ノ 亻 仁 仁 仁 仁 仁 仁 仁 仁 仁 優 優 優 優 優 優

配当漢字表②読み

目標時間 15分

合格ライン 33点

得点 ／46

月　日

●次の——線の**漢字の読み**を**ひらがな**で書きなさい。

1 駅の拡張工事を計画する。（　　）

2 株価がどんどん上がっている。（　　）

3 アルバイトで貴重な体験をする。（　　）

4 相手をもっと敬いなさい。（　　）

5 絹のスカーフをプレゼントする。（　　）

6 レストランで紅茶を注文する。（　　）

7 どうにかして困難を乗りこえたい。（　　）

8 砂時計で時間をはかる。（　　）

9 災害の対策本部を設ける。（　　）

10 部屋の至る所に物が置いてある。（　　）

11 ふと視線をそらした。（　　）

12 馬に乗ったまま弓矢で的を射る。（　　）

13 縦書きの用紙に作文を書く。（　　）

14 洗ったらシャツが縮んでしまった。（　　）

15 図書館で戦国武将の本を借りる。（　　）

16 足のすり傷に薬をぬる。（　　）

17 ウイスキーは蒸留酒だ。（　　）

18 針葉樹の森をぬけて町へ行く。（　　）

19 聖火ランナーが入場した。（　　）

20 店頭で新商品の宣伝をする。（　　）

21 近くに高層マンションが建った。（　　）

22 尊い命を大切にする。（　　）

23 宇宙空間を遊泳してみたい。（　　）

24 息をひそめて敵の様子をうかがう。（　　）

25 米俵をかたにかついで運ぶ。（　　）

26 腹をかかえて笑い転げる。（　　）

27 足りない分をローンで補う。（　　）

28 球技大会で三組が優勝する。（　　）

29 株分けして植物を増やす。（　　）

30 少数意見を尊重する。（　　）

31 デパートで赤い口紅を買う。（　　）

32 困っている人のために働く。（　　）

33 コーヒーに砂糖を入れる。（　　）

34 大至急来てください。（　　）

35 大臣が災害現場を視察する。（　　）

36 光が鏡に反射する。（　　）

37 ラジコンのヘリコプターを操縦する。（　　）

38 この地図は二万分の一の縮尺だ。（　　）

39 自分の将来について考える。（　　）

40 駅のホームで傷害事件が起きた。（　　）

41 水を熱すると蒸発する。（　　）

42 時計の針は三時を指していた。（　　）

43 聖歌隊の歌声が町にひびく。（　　）

44 土俵の上で力士がにらみ合う。（　　）

45 山の中腹に小屋がある。（　　）

46 児童会長に立候補する。（　　）

配当漢字表②書き取り

● 次の――線の**カタカナ**を**漢字**になおしなさい。

1 書類を**カクダイ**コピーする。（　　）
2 切り**カブ**にすわって休む。（　　）
3 駅前の**キキンゾク**の店に入る。（　　）
4 目上の人を**ウヤマ**う。（　　）
5 **キヌ**ごしのとうふを食べる。（　　）
6 **コウチャ**にミルクを入れて飲む。（　　）
7 呼吸**コンナン**におちいる。（　　）
8 **スナバ**でトンネルを作って遊ぶ。（　　）
9 期末テストの**タイサク**を立てる。（　　）
10 頂上に**イタ**る道を行く。（　　）

11 **シカイ**が悪くて前がよく見えない。（　　）
12 光が**ハンシャ**してまぶしい。（　　）
13 日本列島を自転車で**ジュウダン**する。（　　）
14 トップとの差が三十秒**チヂ**む。（　　）
15 **ショウライ**の夢について語る。（　　）
16 **カンショウテキ**になって悲しくなる。（　　）
17 **ジョウキ**機関車が走っている。（　　）
18 **ハリ**に糸を通してぞうきんをぬう。（　　）
19 オリンピックの**セイカ**が燃えている。（　　）
20 議長が国会の開会を**センゲン**した。（　　）

21 いろいろな時代の**チソウ**を調査する。

22 私は先生を**ソンケイ**しています。

23 ピエロが見事な**チュウガエ**りをする。

24 昨日の**テキ**は今日の友

25 **タワラ**の形をしたもなかを食べる。

26 背に**ハラ**はかえられぬ

27 算数の**ホシュウ**授業を受ける。

28 今年こそ**ユウショウ**するとちかう。

29 空港を**カクチョウ**する工事が始まる。

30 **カブシキ**会社を設立する。

31 **キチョウヒン**を金庫にしまう。

32 正しく**ケイゴ**を使うよう心がける。

33 **ベニバナ**の種から油をとる。

34 **コマ**っている人を助けてあげたい。

35 塩と**サトウ**をまちがえる。

36 **シキュウ**お集まりください。

37 **キンシ**なのでメガネをかけている。

38 矢を**イ**たが当たらなかった。

39 **タテブエ**をふきながら帰る。

40 労働時間を**タンシュク**する。

41 **キズグチ**に消毒液をぬる。

42 会社の**ホウシン**がまた変わった。

43 **センデン**のためのポスターを作る。

44 横綱(づな)の**ドヒョウ**入りを見る。

45 何も食べていないので**クウフク**だ。

46 生活費をアルバイトで**オギナ**う。

配当漢字表③

漢字	読み	画数	部首	部首名	筆順
異	音 イ／訓 こと	11	田	た	丨 冂 冂 田 田 田 罒 甲 畀 異 異
革	音 カク／訓 かわ㊥	9	革	かくのかわ　つくりがわ	一 十 廾 廾 艹 芇 苎 苣 革
閣	音 カク／訓 ―	14	門	もんがまえ	丨 冂 冂 冂 門 門 門 門 門 閁 閃 閣 閣 閣
簡	音 カン／訓 ―	18	⺮	たけかんむり	ノ ㇐ ㇀ ⺮ 竹 竹 竹 竹 筒 筒 筒 簡 簡 簡 簡 簡 簡 簡
疑	音 ギ／訓 うたが(う)	14	疋	ひき	㇐ ヒ ヒ 𠤎 𠤎 矣 矣 矣 疑 疑 疑 疑 疑 疑
供	音 キョウ、ク㊖／訓 そな(える)、とも	8	亻	にんべん	ノ 亻 仁 什 卄 仕 供 供

漢字	読み	画数	部首	部首名	筆順
劇	音 ゲキ／訓 ―	15	刂	りっとう	丨 ト 广 卢 卢 虍 虍 虏 虏 虏 豦 豦 豦 劇 劇
券	音 ケン／訓 ―	8	刀	かたな	丶 丷 丷 丷 半 关 券 券
権	音 ケン、ゴン㊖／訓 ―	15	木	きへん	一 十 オ 木 杧 杧 杧 杆 杆 栫 栫 梓 権 権 権
誌	音 シ／訓 ―	14	言	ごんべん	丶 亠 亠 言 言 言 言 計 計 誌 誌 誌 誌 誌
捨	音 シャ／訓 す(てる)	11	扌	てへん	一 十 扌 扌 扒 拎 拎 拎 捨 捨 捨
収	音 シュウ／訓 おさ(める)、おさ(まる)	4	又	また	丨 丩 収 収

「供える」は神仏に物をささげること、「備える」は必要なものを用意しておくことだよ。

漢字	処	専	退	段	忠	著	賃	討
読み	音 ショ 訓 —	音 セン 訓 もっぱ(ら)㊥	音 タイ 訓 しりぞ(く) しりぞ(ける)	音 ダン 訓 —	音 チュウ 訓 —	音 チョ 訓 あらわ(す)㊥ いちじる(しい)㊥	音 チン 訓 —	音 トウ 訓 う(つ)㊥
画数	5	9	9	9	8	11	13	10
部首	几	寸	辶	殳	心	艹	貝	言
部首名	つくえ	すん	しんにょう しんにゅう	るまた ほこづくり	こころ	くさかんむり	かい こがい	ごんべん
筆順	ノ ク 夂 処 処	一 匚 戸 目 亩 亩 亩 専 専	フ ヨ ヨ 艮 艮 艮 艮 退 退	ノ 厂 F 阝 阝 阝 段 段 段	丶 口 口 中 中 忠 忠 忠	一 十 艹 艹 芏 芏 芓 茅 著 著 著	ノ イ 仁 仁 任 任 任 任 賃 賃 賃 賃 賃	丶 亠 亠 亠 言 言 言 訁 討 討

漢字	難	脳	批	幕	卵	覧	裏	律
読み	音 ナン 訓 かた(い)㊢ むずか(しい)	音 ノウ 訓 —	音 ヒ 訓 —	音 マク バク 訓 —	音 ラン㊥ 訓 たまご	音 ラン 訓 —	音 リ㊥ 訓 うら	音 リツ リチ㊢ 訓 —
画数	18	11	7	13	7	17	13	9
部首	隹	月	扌	巾	卩	見	衣	彳
部首名	ふるとり	にくづき	てへん	はば	わりふ ふしづくり	みる	ころも	ぎょうにんべん
筆順	艹 艹 廿 苩 苩 荁 堇 堇 冀 鄞 鄞 鄞 鄞 難 難 難 難 難	丿 刀 月 月 肜 肜 肜 脳 脳 脳 脳	一 十 扌 扌 扌 批 批	一 十 艹 艹 苩 苩 苩 苩 莫 莫 莫 幕 幕	ノ 𠂉 乒 印 卵 卵 卵	丨 冂 ㄷ 阝 阝 臣 臣 臣 臣 臣 臣 臣 臣 臣 覧 覧 覧	丶 亠 亠 亩 亩 亩 亩 亩 亩 亩 亩 裏 裏	ノ 彡 彳 彳 彳 彳 彳 律 律

配当漢字表③読み

目標時間 15分

合格ライン 33点

得点 ／46

月　日

●次の——線の**漢字の読み**を**ひらがな**で書きなさい。

1 両者の主張する意見が異なる。（　　）
2 フランス革命について学ぶ。（　　）
3 神社や仏閣が多い地域に住む。（　　）
4 簡潔なスピーチを心がける。（　　）
5 疑問に思うことを先生にたずねる。（　　）
6 仏様に花と果物をお供えする。（　　）
7 劇的に運命が変わった。（　　）
8 入り口で食券を買った。（　　）
9 権利と義務とはどういうものかを知る。（　　）
10 いつも読む週刊誌が休刊になった。（　　）

11 公園のごみ箱にごみを捨てる。（　　）
12 画家として成功を収める。（　　）
13 病院でけがの処置をしてもらう。（　　）
14 毎日ピアノの練習に専念する。（　　）
15 健康上の理由から社長の座を退く。（　　）
16 家の中の段差をなくす。（　　）
17 忠告したが言うことを聞かない。（　　）
18 著名な作家の作品を読む。（　　）
19 バスの運賃を確認（にん）する。（　　）
20 テレビでの討論会は白熱した。（　　）

21 とても難しい問題にぶち当たる。
22 各国の首脳が会議のために集まる。
23 新刊の批評を新聞で読む。
24 幕府とは武家の政府のことだ。
25 ゆで卵に塩をつけて食べた。
26 わかりやすく一覧表にまとめる。
27 シャツの裏表を確かめてから着る。
28 規律を守って生活する。
29 運営側の決定に異議を唱える。
30 消費税など税制の改革をする。
31 本当の話かどうか疑わしい。
32 新製品のサンプルを無料で提供する。
33 人権は守られなければならない。

34 駅の売店で雑誌を買う。
35 算数で四捨五入を習う。
36 運動会をビデオに収録する。
37 専属のコーチに指導してもらう。
38 祖父は病気が治って退院した。
39 五階まで階段で行く。
40 毎月一日に家賃をはらう。
41 名探偵（てい）が難事件を解決した。
42 ずばぬけた頭脳の持ち主だ。
43 メジャーリーグが開幕した。
44 朝食に卵焼きを作る。
45 絵を展覧会に出品する。
46 裏門からこっそりと出る。

配当漢字表③ 書き取り

目標時間 25分
合格ライン 33点
得点 /46
月 日

● 次の——線のカタカナを漢字になおしなさい。

1 事実と**コト**なる報道があった。（　　）
2 公務員制度の**カイカク**を推進する。（　　）
3 **ナイカク**総理大臣が指名される。（　　）
4 自分の意見を**カンケツ**に述べる。（　　）
5 **ウタガ**いの目でみんなが私を見た。（　　）
6 先祖の墓に花を**ソナ**える。（　　）
7 学芸会で**ニンギョウゲキ**を上演する。（　　）
8 遊園地の**ニュウジョウケン**を買う。（　　）
9 **ケンリ**を守るために立ち上がる。（　　）
10 音楽の**ザッシ**を買った。（　　）

11 いらなくなった家具を**ス**てる。（　　）
12 答案用紙を**カイシュウ**する。（　　）
13 パソコンで情報を**ショリ**する。（　　）
14 大学生の兄の**センモン**は社会学です。（　　）
15 体調が悪いので**ソウタイ**する。（　　）
16 非常**カイダン**を急いで下る。（　　）
17 細部を**チュウジツ**に再現する。（　　）
18 本の**チョシャ**を確かめる。（　　）
19 バスの**ウンチン**が値上がりする。（　　）
20 学級会で遠足の行き先を**トウロン**する。（　　）

21 今すぐ返答するのは**ムズカ**しい。（　　）
22 各国の**シュノウ**が会談した。（　　）
23 政治について**ヒハン**する。（　　）
24 **マク**が上がってバレエが始まる。（　　）
25 生の**タマゴ**をご飯にかけて食べる。（　　）
26 **ユウラン**船に乗って風景を楽しむ。（　　）
27 **ウラニワ**の花がとてもきれいだ。（　　）
28 **ホウリツ**は国会で議決される。（　　）
29 今年の夏は**イジョウ**に暑い。（　　）
30 **カンタン**な手続きを済ませた。（　　）
31 **ギモン**のあるところをメモする。（　　）
32 **コドモ**だけでは会場には入れません。（　　）
33 **ゲキヤク**の取りあつかいに注意する。（　　）

34 今日は学級**ニッシ**を書く番だ。（　　）
35 **ネンシュウ**一千万円をめざす。（　　）
36 いらない物を**ショブン**してもらう。（　　）
37 市民の要求が**シリゾ**けられた。（　　）
38 文章を**ダンラク**ごとにわけて読む。（　　）
39 **ヤチン**が十万円の部屋を借りる。（　　）
40 入会するかよく**ケントウ**する。（　　）
41 入手が**コンナン**な品を手に入れる。（　　）
42 病院で**ノウハ**を調べる。（　　）
43 作文の**ヒヒョウ**をしてもらう。（　　）
44 建物の**ウラグチ**から外に出た。（　　）
45 **キリツ**のある生活をする。（　　）
46 災害地に物資を**キョウキュウ**する。（　　）

C ランク

配当漢字表①

漢字	読み	画数	部首	部首名	筆順
胃	音 イ / 訓 —	9	肉	にく	丨 冂 冂 田 田 甲 胃 胃 胃
己	音 コ、キ㊥ / 訓 おのれ㊥	3	己	おのれ	フ コ 己
穀	音 コク / 訓 —	14	禾	のぎへん	一 十 士 声 声 声 壱 幸 幸 幸 幸 穀 穀 穀
冊	音 サツ、サク㊫ / 訓 —	5	冂	どうがまえ、けいがまえ、まきがまえ	丨 冂 冂 冊 冊
蚕	音 サン / 訓 かいこ	10	虫	むし	一 二 チ 天 天 呑 呑 呑 蚕 蚕
私	音 シ / 訓 わたくし、わたし	7	禾	のぎへん	ノ 二 千 禾 禾 私 私

漢字	読み	画数	部首	部首名	筆順
詞	音 シ / 訓 —	12	言	ごんべん	丶 亠 亠 言 言 言 言 訂 訂 詞 詞 詞
磁	音 ジ / 訓 —	14	石	いしへん	一 ア 不 石 石 石' 矿 矿 矿 磁 磁 磁 磁 磁
就	音 シュウ、ジュ㊫ / 訓 つ(く)㊥、つ(ける)㊥	12	尢	だいのまげあし	丶 亠 亠 古 古 古 亨 京 京 就 就 就
衆	音 シュウ、シュ㊫ / 訓 —	12	血	ち	ノ 〃 冖 𠂉 血 血 血 血 衆 衆 衆 衆
熟	音 ジュク / 訓 う(れる)㊥	15	灬	れんが、れっか	丶 亠 亠 古 古 亨 亨 享 孰 孰 孰 孰 熟 熟 熟
純	音 ジュン / 訓 —	10	糸	いとへん	く 幺 幺 糸 糸 糸 糸 紅 紅 純 純

「冊」「熟」「署」「庁」「郵」は部首の問題によく出題されるので要チェック！

漢字	署	諸	寸	創	宅	値	庁	腸
読み	音 ショ 訓 —	音 ショ 訓 —	音 スン 訓 —	音 ソウ 訓 つく(る)	音 タク 訓 —	音 チ 訓 ね、あたい(中)	音 チョウ 訓 —	音 チョウ 訓 —
画数	13	15	3	12	6	10	5	13
部首	罒	言	寸	刂	宀	亻	广	月
部首名	あみがしら あみめ よこめ	ごんべん	すん	りっとう	うかんむり	にんべん	まだれ	にくづき
筆順	丨 冂 冂 罒 罒 罒 罒 罒 罘 署 署 署 署	丶 亠 亠 亠 言 言 言 言 計 計 計 許 諸 諸 諸	一 寸 寸	ノ 𠆢 亼 今 今 今 今 今 倉 倉 創 創	丶 丶 宀 宀 宅 宅	ノ 亻 仁 什 什 佰 佰 值 值 値	丶 亠 广 广 庁	丿 刀 月 月 月 月 月 月 胆 胆 腸 腸 腸

漢字	納	晩	秘	片	枚	密	郵	朗
読み	音 ノウ(中)、ナッ、ナ(高)、ナン(高)、トウ(中) 訓 おさ(める)、おさ(まる)	音 バン 訓 —	音 ヒ 訓 ひ(める)(中)	音 ヘン(中) 訓 かた	音 マイ 訓 —	音 ミツ 訓 —	音 ユウ 訓 —	音 ロウ 訓 ほが(らか)(中)
画数	10	12	10	4	8	11	11	10
部首	糸	日	禾	片	木	宀	阝	月
部首名	いとへん	ひへん	のぎへん	かた	きへん	うかんむり	おおざと	つき
筆順	乚 幺 幺 糸 糸 糸 糸 糿 納 納	丨 冂 日 日 日 日 日 日 晩 晩 晩 晩	一 二 千 禾 禾 禾 禾 秘 秘 秘	ノ 丿 片 片	一 十 才 木 朩 杓 枚 枚	丶 丶 宀 宀 宀 宓 宓 宓 宓 密 密	一 二 三 手 乒 乒 垂 垂 垂 郵 郵	丶 ㇇ ㇋ ョ 良 良 良 朗 朗 朗

C ランク

配当漢字表①読み

目標時間 15分

合格ライン 33点

得点 ／46

月 日

● 次の――線の**漢字の読み**を**ひらがな**で書きなさい。

1 胃の辺りがとても痛い。（　　）
2 自己中心的なやり方を批判する。（　　）
3 不作で穀物が足りなくなる。（　　）
4 図書館で本を二冊借りる。（　　）
5 蚕がまゆをつくっている。（　　）
6 公私ともに世話になっている。（　　）
7 「花」は名詞です。（　　）
8 磁石に砂鉄がくっついた。（　　）
9 会長就任を祝うパーティーがある。（　　）
10 民衆の声を政治に反映させる。（　　）

11 将来について熟考したほうがよい。（　　）
12 単純な仕組みの装置を作る。（　　）
13 経理をになう部署で働く。（　　）
14 諸国を旅して回る。（　　）
15 寸法どおりに布を切る。（　　）
16 学校の創立記念日で休みだった。（　　）
17 自宅のそばにはスーパーがない。（　　）
18 商品の値下げ競争が始まる。（　　）
19 役所の新しい庁舎ができた。（　　）
20 病院で大腸の検査をする。（　　）

21 タンスに衣服を収納する。
22 晩ごはんのすき焼きが楽しみだ。
23 秘伝のたれでうなぎを焼く。
24 片足でぴょんぴょんはねる。
25 売店で画用紙を十枚買う。
26 日本の人口密度は高い。
27 郵便局で切手を買う。
28 元気いっぱいの明朗な人だ。
29 健康のために雑穀を食べる。
30 養蚕業で生計を立てる。
31 歌詞を見ながら歌う。
32 お祝いに青磁のつぼをもらう。
33 大学生が就職活動をしている。

34 会場には三万人の観衆が集まった。
35 温室のイチゴが成熟する。
36 子供は純真な心をもっている。
37 駅前で署名運動をする。
38 出発寸前に忘れ物に気づいた。
39 兄は夜おそくに帰宅した。
40 百万円の価値がある皿だ。
41 今月分の会費を納める。
42 「大器晩成」の意味を辞書で調べる。
43 現状を打破する秘策がある。
44 片道一キロのマラソンコースを走る。
45 子供たちに絵本を朗読する。
46 政治家の秘書になる。

C ランク

配当漢字表① 書き取り

目標時間 25分

合格ライン 33点

得点 ／46　月　日

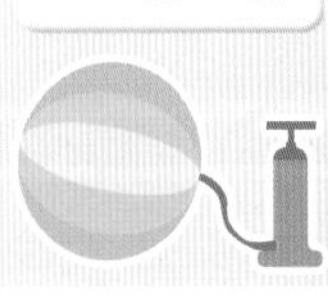

● 次の——線の**カタカナ**を**漢字**になおしなさい。

1 薬局で**イグスリ**を買って飲んだ。（　　）
2 **ジコ**満足で終わらせるな。（　　）
3 米や麦、アワなどを**コクルイ**という。（　　）
4 漢字の本を五**サツ**も買う。（　　）
5 昔から**ヨウサン**がさかんな地域だ。（　　）
6 **ワタシ**の父は会社の社長です。（　　）
7 「食べる」は**ドウシ**です。（　　）
8 **ジシャク**を使ったおもちゃで遊ぶ。（　　）
9 東京都の知事に**シュウニン**する。（　　）
10 **コウシュウ**電話から電話する。（　　）

11 難しい本を**ジュクドク**する。（　　）
12 **ジュンパク**のドレスを着る。（　　）
13 貿易関連の**ブショ**で働く。（　　）
14 船で伊豆（いず）**ショトウ**に行く。（　　）
15 ゴールの**スンゼン**で転んでしまった。（　　）
16 今日は学校の**ソウリツ**記念日だ。（　　）
17 **タクハイ**便で本を送る。（　　）
18 雨が続いて野菜の**ネ**が上がる。（　　）
19 兄は**キショウチョウ**で働いている。（　　）
20 最近、**イチョウ**の調子が悪い。（　　）

21 おし入れにふとんを**シュウノウ**する。

22 **コンバン**はほたるを見に行こう。

23 社長の**ヒショ**として働く。

24 工事のため**カタガワ**通行です。

25 テスト用紙の**マイスウ**を確かめる。

26 **ミッペイ**できるビンに液体を入れる。

27 書類を**ユウビン**で送る。

28 合格の**ロウホウ**が届いた。

29 この問題集には**ベッサツ**があります。

30 **カイコ**がくわの葉を食べている。

31 近くに**シテツ**の駅がある。

32 友達が**サクシ**した歌を歌う。

33 姉はデパートに**シュウショク**した。

34 **シュウギイン**で法案が可決される。

35 卵はまだ**ハンジュク**だ。

36 **タンジュン**な仕事ばかりであきた。

37 家の近くに**ショウボウショ**がある。

38 **イッスン**法師の昔話を語る。

39 駅前の集合**ジュウタク**に住んでいる。

40 **ネダン**の安いほうを買う。

41 期日までに税金を**オサ**める。

42 家族そろって**バン**ごはんを食べる。

43 二人の間には**ヒミツ**がある。

44 **ニマイメ**俳優として人気がある。

45 心のこもった**ロウドク**をする。

46 パソコンに**スウチ**を入れて計算する。

Cランク

配当漢字表②

漢字	読み	画数	部首	部首名	筆順
憲	音 ケン 訓 —	16	心	こころ	丶 丷 宀 宀 宀 宀 宔 宔 害 害 害 害 害 憲 憲 憲
后	音 コウ 訓 —	6	口	くち	一 厂 斤 斤 后 后
孝	音 コウ 訓 —	7	子	こ	一 十 土 耂 耂 考 孝
皇	音 コウ オウ 訓 —	9	白	しろ	ノ ľ 冂 白 白 白 皁 皁 皇
鋼	音 コウ 訓 はがね(中)	16	金	かねへん	ノ 𠆢 今 今 全 金 金 金 釒 釘 釘 鋼 鋼 鋼 鋼 鋼
尺	音 シャク 訓 —	4	尸	かばね しかばね	⺈ コ 尸 尺

漢字	読み	画数	部首	部首名	筆順
宗	音 シュウ ソウ(中) 訓 —	8	宀	うかんむり	丶 丷 宀 宀 宀 宇 宗 宗
承	音 ショウ 訓 うけたまわ(る)(中)	8	手	て	フ 了 子 手 手 承 承 承
仁	音 ジン 二(中) 訓 —	4	亻	にんべん	ノ 亻 仁 仁
誠	音 セイ 訓 まこと(中)	13	言	ごんべん	丶 亠 亖 言 言 言 訁 訂 訂 訢 誠 誠 誠
銭	音 セン 訓 ぜに(中)	14	金	かねへん	ノ 𠆢 今 今 全 金 金 金 釒 鈩 鈩 銭 銭 銭
善	音 ゼン 訓 よ(い)	12	口	くち	丶 丷 䒑 䒑 兰 羊 羊 羊 羔 善 善 善

「内臓」は動物の体内にあるいろいろな器官のこと。「内蔵」と使い分けよう！

漢字	読み	画数	部首	部首名	筆順
臓	音 ゾウ 訓 —	19	月	にくづき	刀 月 月一 月艹 月艹 月芦 月芦 月芦 月芦 月芦 月芦 月芦 臓 臓 臓 臓
誕	音 タン 訓 —	15	言	ごんべん	丶 亠 亠 言 言 言 言 言一 訂 訐 証 証 証 誕 誕
潮	音 チョウ 訓 しお	15	氵	さんずい	丶 冫 氵 汁 汁 汁 沽 沽 沽 淖 淖 潮 潮 潮 潮
党	音 トウ 訓 —	10	儿	ひとあし にんにょう	丨 丨丨 ⺌ ⺌ 尚 尚 尚 尚 党 党
糖	音 トウ 訓 —	16	米	こめへん	丶 丷 丷 半 米 米 米' 米广 粐 粐 粐 粐 糖 糖 糖 糖
派	音 ハ 訓 —	9	氵	さんずい	丶 冫 氵 氵厂 氵厂 沂 沂 派 派
肺	音 ハイ 訓 —	9	月	にくづき	丿 刀 月 月 月' 肝 肝 肺 肺
班	音 ハン 訓 —	10	王	おうへん たまへん	一 丁 千 王 王丿 王丿 玨 玨 班 班

漢字	読み	画数	部首	部首名	筆順
否	音 ヒ 訓 いな(高)	7	口	くち	一 ア 不 不 不 否 否
陛	音 ヘイ 訓 —	10	阝	こざとへん	7 3 阝 阝 阝 阝 阝比 阝比 陛 陛
亡	音 ボウ モウ(高) 訓 な(い)(高)	3	亠	なべぶた けいさんかんむり	丶 亠 亡
盟	音 メイ 訓 —	13	皿	さら	丨 冂 日 日 日 明 明 明 明 明 明 明 盟
欲	音 ヨク 訓 ほっ(する)(高) ほ(しい)(中)	11	欠	あくび かける	ノ ハ ク 谷 谷 谷 谷 谷 谷 谷 欲
翌	音 ヨク 訓 —	11	羽	はね	フ ヨ ヨ 羽 羽 羽 羽 羽 翌 翌 翌
臨	音 リン 訓 のぞ(む)(中)	18	臣	しん	丨 厂 厂 戸 戸 臣 臣 臣 臣 臨 臨 臨 臨 臨 臨 臨 臨 臨

Cランク

配当漢字表②読み

目標時間 15分

合格ライン 33点

得点 ／46

月 日

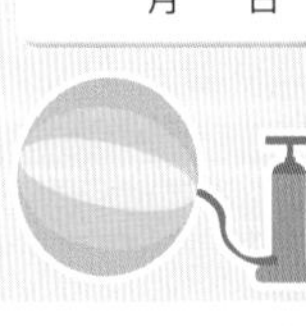

● 次の——線の**漢字の読み**を**ひらがな**で書きなさい。

1 日本国憲法について考える。（　　）
2 車中の皇后さまに手をふる。（　　）
3 もっと親に孝行をしなさい。（　　）
4 天皇誕生日の祝賀行事が行われる。（　　）
5 鋼鉄のドアをゆっくりと開ける。（　　）
6 老人ホームで尺八を演奏する。（　　）
7 宗派を問わず、人々を助けた。（　　）
8 事情は重々承知している。（　　）
9 仁徳のある人になりたい。（　　）
10 あの人の誠実なところが好きだ。（　　）

11 父は切手や古銭を集めている。（　　）
12 人を助けることは善いことだ。（　　）
13 心臓の移植手術が行われる。（　　）
14 昨日は母の誕生日だった。（　　）
15 潮位がだんだん上がってきた。（　　）
16 政党政治について学ぶ。（　　）
17 コーヒーに砂糖を入れて飲む。（　　）
18 いろいろな問題が派生する。（　　）
19 肺の働きを学習する。（　　）
20 班長としてみんなをまとめる。（　　）

21 否定的な意見を言う。（　　）

22 女王陛下にお目にかかる。（　　）

23 死亡事故が多発している。（　　）

24 となりの国と同盟を結ぶ。（　　）

25 新たな出発に意欲を燃やす。（　　）

26 翌日の新聞が楽しみだ。（　　）

27 会社は臨海の工場地帯にある。（　　）

28 親不孝だったと自分を責める。（　　）

29 皇居の周りをランナーが走る。（　　）

30 尺は長さの単位だ。（　　）

31 世界の宗教について考える。（　　）

32 昔からの慣習を伝承する。（　　）

33 だれにでも誠意ある行動をとる。（　　）

34 一銭を笑う者は一銭に泣く（　　）

35 親善のための野球大会をする。（　　）

36 病院で内臓の検査をする。（　　）

37 生誕百年を祝う式典がある。（　　）

38 潮風が気持ちよい。（　　）

39 野党の議員が質問をする。（　　）

40 糖分をひかえた食事を作る。（　　）

41 特派員としてインドに行く。（　　）

42 肺呼吸をする魚もいる。（　　）

43 会議でその議題は否決された。（　　）

44 近ごろなぜか食欲がない。（　　）

45 大会は翌月に延期された。（　　）

46 会場で臨機応変に動く。（　　）

Cランク

配当漢字表②書き取り

目標時間 10分

合格ライン 14点

得点 ／20

月　日

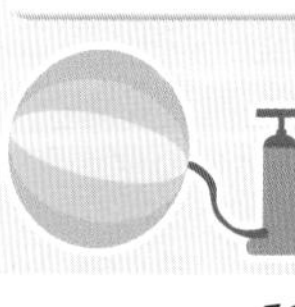

● 次の――線のカタカナを漢字になおしなさい。

1 ケンポウ記念日を祝う。（　）
2 コウゴウ陛下が外国を訪問する。（　）
3 親へのコウコウを忘れない。（　）
4 シュクシャク五万分の一の地図を見る。（　）
5 シュウキョウ活動をしている。（　）
6 セイジツな性格で人気がある。（　）
7 多額のキンセンを支はらう。（　）
8 両国のシンゼンに努める。（　）
9 シンゾウは血液を送るポンプだ。（　）
10 タンジョウビにプレゼントをおくる。（　）

11 速いシオの流れに流される。（　）
12 トウブンの取りすぎに注意する。（　）
13 父がハイの病気になる。（　）
14 みんなからハンチョウに選ばれた。（　）
15 手紙で息子のアンピを問う。（　）
16 日本へのボウメイを希望する。（　）
17 世界の国々が国連にカメイしている。（　）
18 あの人にはヨクがない。（　）
19 ヨクシュウも予定が入っている。（　）
20 朝早くリンジの列車が走る。（　）

テーマ別 本試験型問題

※第2章の解答は別冊29～37ページにあります。

学習のワンポイントアドバイス

苦手な人が多い「四字の熟語」。P122～123も参考にしながら覚えていこう！

Aランク

部首と部首名①

目標時間 6分

合格ライン 26点

得点 ／36

月　日

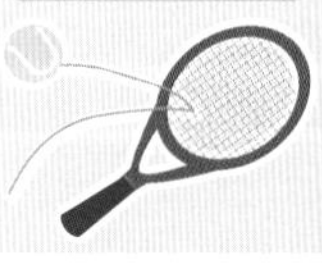

● 次の漢字の**部首**と**部首名**を後の□の中から選び、**記号**で答えなさい。

	部首	部首名
〈例〉返	（う）	（ク）

	部首	部首名
冊	（1）	（2）
延	（3）	（4）
我	（5）	（6）
閣	（7）	（8）
割	（9）	（10）

	部首	部首名
憲	（19）	（20）
刻	（21）	（22）
座	（23）	（24）
裁	（25）	（26）
宗	（27）	（28）

郷　敬　枚　困

漢字	部首	部首名
郷	11	12
敬	13	14
枚	15	16
困	17	18

あ 亻　い 攵　う 辶　え 門　お 艹　か 阝　き 刂
く 戈　け 口　こ 木　さ 禾　し 冂　す 夂　せ 口

ア りっとう　イ えんにょう　ウ のぎへん　エ ほこづくり ほこがまえ
オ もんがまえ　カ きへん　キ くにがまえ　ク しんにょう しんにゅう
ケ どうがまえ けいがまえ まきがまえ　コ にんべん　サ くさかんむり　シ くち
ス のぶん ぼくづくり　セ おおざと

簡　熟　郵　盛

漢字	部首	部首名
簡	29	30
熟	31	32
郵	33	34
盛	35	36

あ 厂　い 阝　う 辶　え 刂　お 心　か 宀　き 土
く 广　け ⺮　こ 皿　さ 衣　し 日　す 門　せ 灬

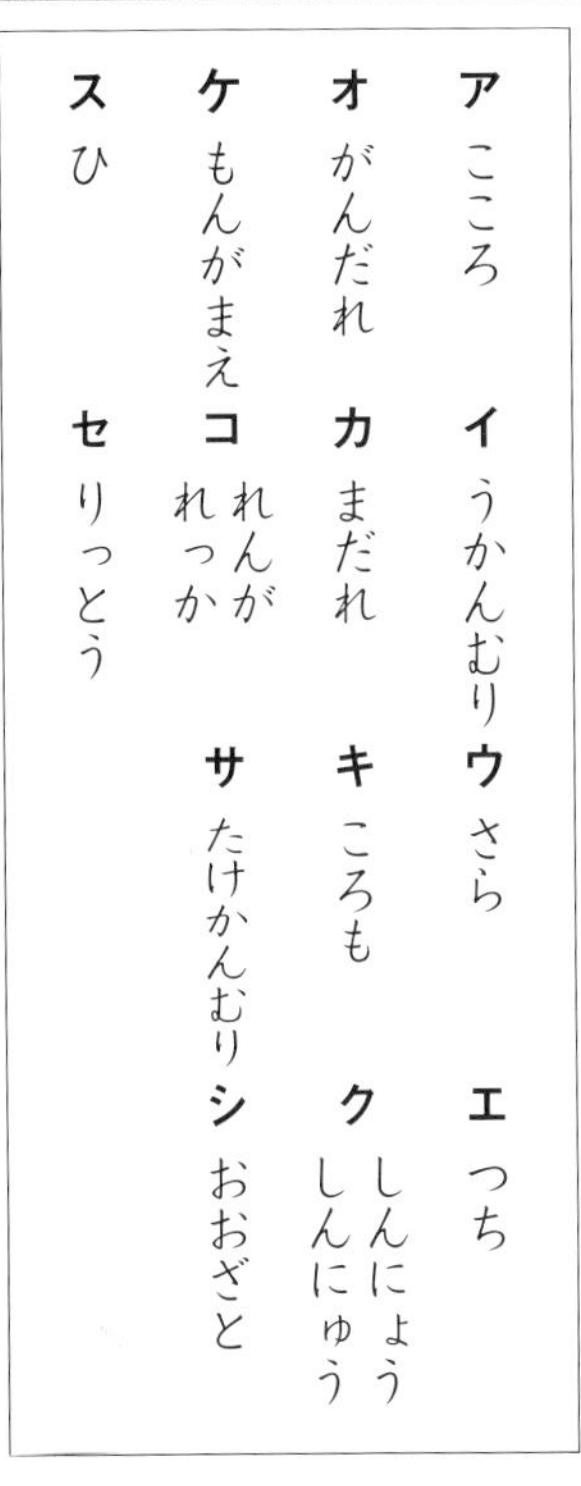
ア こころ　イ うかんむり　ウ さら　エ つち
オ がんだれ　カ まだれ　キ ころも　ク しんにょう しんにゅう
ケ もんがまえ　コ れんが れっか　サ たけかんむり　シ おおざと
ス ひ　セ りっとう

A ランク

部首と部首名②

● 次の漢字の**部首**と**部首名**を後の□の中から選び、**記号**で答えなさい。

〈例〉返　部首（う）　部首名（ク）

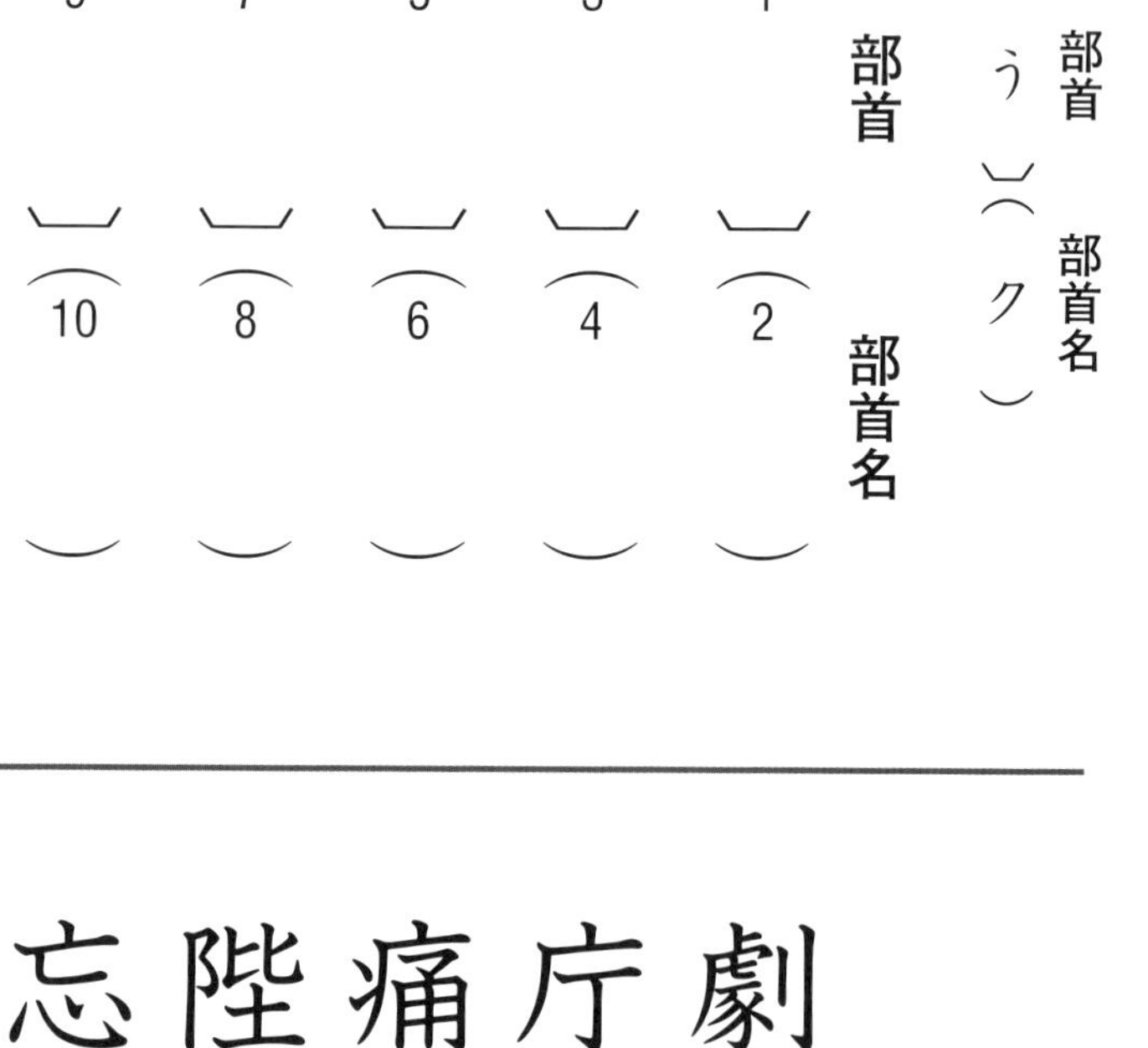

	部首	部首名
聖	1	2
染	3	4
窓	5	6
創	7	8
層	9	10

	部首	部首名
劇	19	20
庁	21	22
痛	23	24
陛	25	26
忘	27	28

部首と部首名②

蔵 11（ ）12（ ）
臓 13（ ）14（ ）
誕 15（ ）16（ ）
賃 17（ ）18（ ）

あ 刂　い 宀　う 辶　え 木　お 耳　か 口　き 艹
く 言　け 尸　こ 心　さ 月　し 貝　す 日　せ 穴

ア うかんむり　イ りっとう　ウ かい こがい　エ くさかんむり
オ みみ　カ くち　キ き　ク しんにょう しんにゅう
ケ にくづき　コ ごんべん　サ ひ　シ あなかんむり
ス かばね しかばね　セ こころ

幕 29（ ）30（ ）
盟 31（ ）32（ ）
署 33（ ）34（ ）
欲 35（ ）36（ ）

あ 心　い 巾　う 辶　え 罒　お 口　か 皿　き 艹
く 阝　け 厂　こ 欠　さ 广　し 疒　す 刂　せ 阝

ア こころ　イ さら　ウ あくび かける　エ くさかんむり
オ あみがしら あみめ よこめ　カ りっとう　キ やまいだれ　ク しんにょう しんにゅう
ケ まだれ　コ おおざと　サ くち　シ はば
ス がんだれ　セ こざとへん

部首と部首名

目標時間 6分
合格ライン 26点
得点 ／36
月　日

●次の漢字の**部首**と**部首名**を後の□の中から選び、**記号**で答えなさい。

〈例〉返　部首（う）　部首名（ク）

漢字	部首	部首名
宇	（1　）	（2　）
激	（3　）	（4　）
絹	（5　）	（6　）
誌	（7　）	（8　）
蒸	（9　）	（10　）

漢字	部首	部首名
認	（19　）	（20　）
肺	（21　）	（22　）
裏	（23　）	（24　）
専	（25　）	（26　）
届	（27　）	（28　）

推 装 糖 除

漢字	部首	部首名
推	11	12
装	13	14
糖	15	16
除	17	18

あ 艹　い 扌　う 辶　え 心　お 糸　か 宀　き 氵　く 爫　け 衣　こ 言　さ 攵　し 米　す 阝　せ 隹

ア くさかんむり　イ てへん　ウ こころ　エ こめへん　オ うかんむり　カ こざとへん　キ こころ　ク しんにょう しんにゅう　ケ ふるとり　コ ごんべん　サ さんずい　シ いとへん　ス のぶん ぼくづくり　セ れんが れっか

異 域 担 潮

漢字	部首	部首名
異	29	30
域	31	32
担	33	34
潮	35	36

あ 田　い 月　う 辶　え 日　お 扌　か 氵　き 言　く 心　け 尸　こ 衣　さ 寸　し 巾　す 土　せ 一

ア にくづき　イ ごんべん　ウ こころ　エ さんずい　オ いち　カ ころも　キ つちへん　ク しんにょう しんにゅう　ケ た　コ てへん　サ かばね しかばね　シ すん　ス はば　セ ひ

Cランク

部首と部首名

目標時間 6分

合格ライン 26点

得点 ／36

月　日

● 次の漢字の**部首**と**部首名**を後の□の中から選び、**記号**で答えなさい。

〈例〉返　部首（う）　部首名（ク）

	部首	部首名
筋	1	2
胸	3	4
勤	5	6
砂	7	8
恩	9	10

	部首	部首名
著	19	20
忠	21	22
探	23	24
頂	25	26
脳	27	28

若 縮 宝 班

	若	縮	宝	班
部首	11（　）	13（　）	15（　）	17（　）
部首名	12（　）	14（　）	16（　）	18（　）

あ ⺩　い 石　う 辶　え 月　お 心　か ⺮　き 艹
く 亻　け 糸　こ 玉　さ 王　し 力　す 口　せ 宀

ア いとへん　イ うかんむり　ウ くさかんむり　エ にくづき
オ こころ　カ くち　キ にんべん　ク しんにょう しんにゅう
ケ おう　コ おうへん たまへん　サ たま　シ いしへん
ス ちから　セ たけかんむり

模 覧 敵 秘

	模	覧	敵	秘
部首	29（　）	31（　）	33（　）	35（　）
部首名	30（　）	32（　）	34（　）	36（　）

あ 月　い 扌　う 辶　え 日　お 頁　か 心　き 艹
く 攵　け 見　こ 一　さ 手　し 木　す 大　せ 禾

ア みる　イ こころ　ウ くさかんむり　エ だい
オ のぶん ぼくづくり　カ きへん　キ にくづき　ク しんにょう しんにゅう
ケ ひ　コ て　サ いち　シ てへん
ス おおがい　セ のぎへん

A ランク

画数

目標時間 10分

合格ライン 35点

得点 ／50

月 日

● 次の漢字の**太い画**のところは**筆順の何画目**か、また**総画数は何画**か、**算用数字**（1、2、3…）で答えなさい。

〈例〉定　何画目（5）　総画数（8）

我　何画目（1）　総画数（2）

革　何画目（3）　総画数（4）

閣　何画目（5）　総画数（6）

系　何画目（7）　総画数（8）

皇　何画目（9）　総画数（10）

裁　何画目（11）　総画数（12）

冊　何画目（13）　総画数（14）

若　何画目（15）　総画数（16）

衆　何画目（17）　総画数（18）

A
画数

善	染	推	蒸	障	将	処	純
33	31	29	27	25	23	21	19
34	32	30	28	26	24	22	20

訪	陛	否	俳	党	誕	蔵	装
49	47	45	43	41	39	37	35
50	48	46	44	42	40	38	36

Bランク

画数

目標時間 10分

合格ライン 35点

得点 ／50

月　日

● 次の漢字の**太い画**のところは**筆順の何画目**か、また**総画数は何画**か、**算用数字**（1、2、3…）で答えなさい。

〈例〉定　何画目（5）　総画数（8）

延　何画目（1）　総画数（2）

巻　何画目（3）　総画数（4）

看　何画目（5）　総画数（6）

貴　何画目（7）　総画数（8）

権　何画目（9）　総画数（10）

呼　何画目（11）　総画数（12）

誤　何画目（13）　総画数（14）

孝　何画目（15）　総画数（16）

刻　何画目（17）　総画数（18）

B

画数

漢字	問	問
垂	19	20
聖	21	22
誠	23	24
宙	25	26
糖	27	28
認	29	30
脳	31	32
背	33	34

漢字	問	問
班	35	36
奮	37	38
片	39	40
宝	41	42
訳	43	44
郵	45	46
裏	47	48
論	49	50

C ランク

画数①

目標時間 **10** 分

合格ライン **35** 点

得　点　／50　月　日

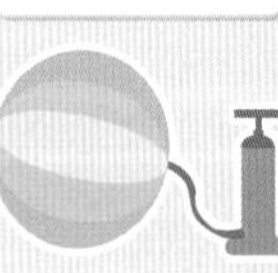

● 次の漢字の**太い画**のところは**筆順の何画目**か、また**総画数は何画**か、**算用数字**（1、2、3…）で答えなさい。

〈例〉 定　何画目（ 5 ）　総画数（ 8 ）

漢字	何画目	総画数
遺	1（　）	2（　）
域	3（　）	4（　）
灰	5（　）	6（　）
揮	7（　）	8（　）

漢字	何画目	総画数
穀	9（　）	10（　）
骨	11（　）	12（　）
座	13（　）	14（　）
至	15（　）	16（　）
視	17（　）	18（　）

漢字		
詞	19	20
磁	21	22
収	23	24
就	25	26
従	27	28
熟	29	30
除	31	32
盛	33	34

漢字		
専	35	36
探	37	38
暖	39	40
派	41	42
晩	43	44
批	45	46
並	47	48
覧	49	50

C ランク

画数②

●次の漢字の**太い画**のところは**筆順の何画目**か、また**総画数は何画**か、**算用数字**（1、2、3…）で答えなさい。

〈例〉定　何画目（5）　総画数（8）

	何画目	総画数
著	1（　）	2（　）
展	3（　）	4（　）
届	5（　）	6（　）
難	7（　）	8（　）
郷	9（　）	10（　）
絹	11（　）	12（　）
憲	13（　）	14（　）
源	15（　）	16（　）
后	17（　）	18（　）

目標時間 10分

合格ライン 35点

得点 ／50

月　日

欲補忘棒枚幕密盟

19（　　）20（　　）
21（　　）22（　　）
23（　　）24（　　）
25（　　）26（　　）
27（　　）28（　　）
29（　　）30（　　）
31（　　）32（　　）
33（　　）34（　　）

模幼翌承卵律朗臨

35（　　）36（　　）
37（　　）38（　　）
39（　　）40（　　）
41（　　）42（　　）
43（　　）44（　　）
45（　　）46（　　）
47（　　）48（　　）
49（　　）50（　　）

送りがな

● 次の——線のカタカナの部分を漢字一字と送りがな（ひらがな）になおしなさい。

〈例〉クラブのきまりをサダメル。（定める）

1 かれとは意見がコトナル。（　　）
2 皿が落ちてワレル。（　　）
3 クマに近づくとアブナイ。（　　）
4 本心かどうかウタガウ。（　　）
5 墓に花をソナエル。（　　）
6 両親をウヤマウ。（　　）
7 ハゲシイ口調で言い合う。（　　）
8 キビシイ寒さが続いている。（　　）
9 石に名前をキザム。（　　）
10 質問されて返事にコマル。（　　）
11 いらない物をステル。（　　）
12 上司の意見にシタガウ。（　　）

13 不純物を取り**ノゾク**。（　　）

14 水のしずくが**タレル**。（　　）

15 きれいに手を**アラウ**。（　　）

16 前の選手との差が**チヂマル**。（　　）

17 白い布を青く**ソメル**。（　　）

18 **イタイ**足を引きずって歩く。（　　）

19 祝いの品を**トドケル**。（　　）

20 税金をきちんと**オサメル**。（　　）

21 お地蔵さまを**オガム**。（　　）

22 名札をあいうえお順に**ナラベル**。（　　）

23 雨があがって、かさを**トジル**。（　　）

24 費用をアルバイトで**オギナウ**。（　　）

25 店にかばんを**ワスレル**。（　　）

26 **オサナイ**妹の世話をする。（　　）

27 かみの毛が風で**ミダレル**。（　　）

28 悪いことをしたと**ミトメル**。（　　）

29 会社に五年**ツトメル**。（　　）

30 とっぷりと日が**クレル**。（　　）

送りがな

目標時間 16分

合格ライン 21点

得点 ／30

月　日

●次の――線の**カタカナ**の部分を**漢字一字と送りがな（ひらがな）**になおしなさい。

〈例〉クラブのきまりを**サダメル**。（定める）

1 パソコンの操作を**アヤマル**。（　　）

2 大きい荷物を**アズケル**。（　　）

3 昼食は軽く**スマス**。（　　）

4 罪人を公的に**サバク**。（　　）

5 部屋の**イタル**所に荷物がある。（　　）

6 ねこのひげが**チヂレル**。（　　）

7 えびフライにソースを**タラス**。（　　）

8 事故のニュースに心を**イタメル**。（　　）

9 私には**ムズカシイ**問題である。（　　）

10 新商品を買うために店の前に**ナラブ**。（　　）

11 大臣が各国を**タズネル**。（　　）

12 イタリアへの出発を**ノバス**。（　　）

13 一つ前の駅で列車を**オリル**。（　　）

14 老人が**ワカイ**時のことを思い出す。（　　）

15 画家として成功を**オサメル**。（　　）

16 家来をあとに**シタガエル**。（　　）

17 **トウトイ**命を大切にしなさい。（　　）

18 子が泣きながら母親を**サガス**。（　　）

19 **アタタカイ**南の国で過ごす。（　　）

20 茶会でお茶を**イタダク**。（　　）

21 郷里の母から手紙が**トドク**。（　　）

22 責任ある地位から**シリゾク**。（　　）

23 気持ちを伝えるために勇気を**フルウ**。（　　）

24 墓前で祖先を**タットブ**。（　　）

25 住所、氏名**ナラビニ**性別を書きなさい。（　　）

26 店は十時に**シマル**そうだ。（　　）

27 余生はいなかで静かに**クラス**。（　　）

28 動画をスクリーンに**ウツス**。（　　）

29 セーターが**チヂム**。（　　）

30 空が夕日に**ソマル**。（　　）

A ランク

音と訓①

目標時間 15分

合格ライン 26点

得点 /36

月 日

● 漢字の読みには**音**と**訓**があります。次の**熟語の読み**は[ ]の中のどの組み合わせになっていますか。ア〜エの**記号**で答えなさい。

ア 音と音
イ 音と訓
ウ 訓と訓
エ 訓と音

1 遺産（ ）
2 石段（ ）
3 沿岸（ ）
4 灰皿（ ）

5 割引（ ）
6 役割（ ）
7 巻紙（ ）
8 巻物（ ）

9 看護（ ）
10 筋道（ ）
11 節穴（ ）
12 絹地（ ）

13 憲法
14 口紅
15 背骨
16 骨身
17 絹製
18 砂山
19 返済
20 若気

21 若者
22 若葉
23 宗教
24 縦糸
25 傷口
26 生傷
27 官庁
28 温泉

29 窓口
30 味方
31 探検
32 針金
33 潮風
34 政党
35 牛乳
36 派手

Aランク

音と訓②

目標時間 15分

合格ライン 26点

得点 ／36

月 日

● 漢字の読みには**音**と**訓**があります。次の**熟語の読み**は□の中のどの組み合わせになっていますか。ア～エの**記号**で答えなさい。

ア 音と音　イ 音と訓

ウ 訓と訓　エ 訓と音

1 背中（　）

2 批評（　）

3 格安（　）

4 台所（　）

5 裏地（　）

6 裏作（　）

7 裏山（　）

8 裏庭（　）

9 湯気（　）

10 係長（　）

11 番組（　）

12 道順（　）

13 夕刊
14 手順
15 新顔
16 手帳
17 試合
18 手配
19 残高
20 新型

21 並木
22 重箱
23 布地
24 団子
25 札束
26 片道
27 手製
28 仕事

29 関所
30 拡張
31 軍手
32 無口
33 布製
34 駅前
35 場所
36 起源

B ランク

音と訓

目標時間 15分

合格ライン 26点

得点 ／36

月　日

● 漢字の読みには**音**と**訓**があります。次の**熟語の読み**は［　］の中のどの組み合わせになっていますか。ア〜エの**記号**で答えなさい。

ア　音と音	イ　音と訓
ウ　訓と訓	エ　訓と音

1 係員（　　）
2 道筋（　　）
3 筋力（　　）
4 王様（　　）

5 定刻（　　）
6 砂場（　　）
7 裁判（　　）
8 冊数（　　）

9 親分（　　）
10 諸国（　　）
11 針箱（　　）
12 推理（　　）

13 創作

14 貯蔵

15 値段

16 運賃

17 晩飯

18 密集

19 客足

20 翌日

21 回覧

22 横顔

23 創造

24 子役

25 土手

26 組曲

27 同盟

28 図星

29 磁石

30 弱気

31 職場

32 初夢

33 誤答

34 客間

35 気配

36 砂糖

C ランク

音と訓①

目標時間 15分

合格ライン 26点

得点 /36

月 日

● 漢字の読みには**音**と**訓**があります。次の**熟語の読み**は□の中のどの組み合わせになっていますか。ア〜エの**記号**で答えなさい。

ア 音と音　イ 音と訓
ウ 訓と訓　エ 訓と音

1 内閣（　）
2 割合（　）
3 呼吸（　）
4 株式（　）

5 胸囲（　）
6 郷土（　）
7 勤務（　）
8 筋金（　）

9 首筋（　）
10 警護（　）
11 演劇（　）
12 資源（　）

13 茶畑

14 孝行

15 穀類

16 洋間

17 星座

18 姿見

19 対策

20 若草

21 樹林

22 短縮

23 胃腸

24 赤潮

25 聖火

26 米俵

27 宣言

28 善良

29 演奏

30 出窓

31 体操

32 心臓

33 誕生

34 舌先

35 蒸発

36 誠意

Cランク

音と訓②

得点　　／36
月　日

● 漢字の読みには**音**と**訓**があります。次の**熟語の読み**は□の中のどの組み合わせになっていますか。ア〜エの**記号**で答えなさい。

ア　音と音　　イ　音と訓
ウ　訓と訓　　エ　訓と音

1 苦痛（　　）
2 授乳（　　）
3 幕内（　　）
4 背後（　　）

5 秘密（　　）
6 国宝（　　）
7 相棒（　　）
8 納入（　　）

9 生卵（　　）
10 幼少（　　）
11 欲望（　　）
12 郵便（　　）

13 裏門

14 裏側

15 宇宙

16 延長

17 拡大

18 毛穴

19 穴場

20 郷里

21 系統

22 革命

23 疑問

24 銭湯

25 自己

26 源泉

27 縦笛

28 創設

29 操作

30 著者

31 身分

32 幼虫

33 規律

34 麦茶

35 優勝

36 番付

A ランク

四字の熟語

目標時間 15分

合格ライン 23点

得点 ／32

月　日

● 次の**カタカナ**を**漢字**になおし、**一字だけ**書きなさい。

1 世界**イ**産（　）

2 地**イキ**社会（　）

3 **ウ**宙旅行（　）

4 **エン**岸漁業（　）

5 教育改**カク**（　）

6 実力発**キ**（　）

7 天然資**ゲン**（　）

8 災害対**サク**（　）

9 公**シュウ**衛生（　）

10 基本方**シン**（　）

11 独立**セン**言（　）

12 **セン**門用語（　）

13 高**ソウ**建築（　）

14 器械体**ソウ**（　）

15 自己負タン
16 政トウ政治
17 家庭ホウ問
18 ユウ便配達
19 学習意ヨク
20 リン時休業
21 カク張工事
22 カブ式会社
23 コク物倉庫

（　　）（　　）（　　）（　　）（　　）（　　）（　　）（　　）（　　）

24 ザ席指定
25 月刊雑シ
26 永久ジ石
27 予防注シャ
28 永久保ゾン
29 非常階ダン
30 カタ側通行
31 人口ミツ度
32 一心不ラン

（　　）（　　）（　　）（　　）（　　）（　　）（　　）（　　）（　　）

B
ランク

四字の熟語①

目標時間 15分
合格ライン 23点
得点 ／32
月 日

● 次の**カタカナ**を**漢字**になおし、**一字だけ**書きなさい。

1 直**シャ**日光 （　　）
2 宇**チュウ**遊泳 （　　）
3 **ユウ**先順位 （　　）
4 天変地**イ** （　　）
5 **キ**急存亡 （　　）
6 半信半**ギ** （　　）
7 酸素**キュウ**入 （　　）

8 **キョウ**土芸能 （　　）
9 人**ケン**尊重 （　　）
10 単**ジュン**明快 （　　）
11 公**シ**混同 （　　）
12 学級日**シ** （　　）
13 四**シャ**五入 （　　）
14 応急**ショ**置 （　　）

15 **ショ**名運動（　　）

16 **スイ**理小説（　　）

17 器楽合**ソウ**（　　）

18 天地**ソウ**造（　　）

19 **ゾウ**器移植（　　）

20 無理**ナン**題（　　）

21 首**ノウ**会議（　　）

22 大器**バン**成（　　）

23 針小**ボウ**大（　　）

24 秘**ミツ**文書（　　）

25 **ヨッ**求不満（　　）

26 **リン**機応変（　　）

27 明**ロウ**快活（　　）

28 世**ロン**調査（　　）

29 言語道**ダン**（　　）

30 自画自**サン**（　　）

31 絶体絶**メイ**（　　）

32 自**キュウ**自足（　　）

Bランク

四字の熟語②

目標時間 15分

合格ライン 23点

得点 ／32

月　日

● 次の**カタカナ**を**漢字**になおし、**一字だけ**書きなさい。

1 **イ**口同音（　）

2 雨天順**エン**（　）

3 技術**カク**新（　）

4 団体**ワリ**引（　）

5 質**ギ**応答（　）

6 **キン**務時間（　）

7 暴風**ケイ**報（　）

8 国民主**ケン**（　）

9 人員点**コ**（　）

10 発車時**コク**（　）

11 複雑**コッ**折（　）

12 問題**ショ**理（　）

13 社会保**ショウ**（　）

14 国際親**ゼン**（　）

15 器楽演ソウ
16 安全ソウ置
17 帰タク時間
18 南極タン検
19 価チ判断
20 ホ足説明
21 精ミツ検査
22 私利私ヨク
23 賛ピ両論

（　　）（　　）（　　）（　　）（　　）（　　）（　　）（　　）（　　）

24 一進一タイ
25 一挙両トク
26 玉石コン交
27 油断大テキ
28 心キ一転
29 空前ゼツ後
30 ユウ名無実
31 タン刀直入
32 完全無ケツ

（　　）（　　）（　　）（　　）（　　）（　　）（　　）（　　）（　　）

C ランク

四字の熟語

● 次のカタカナを漢字になおし、一字だけ書きなさい。

1 タク地造成 （　）
2 栄養ホ給 （　）
3 時間ゲン守 （　）
4 信号無シ （　）
5 ジョ草作業 （　）
6 ジョウ気機関 （　）
7 ソウ立記念 （　）

8 生ゾン競争 （　）
9 温ダン前線 （　）
10 人気絶チョウ （　）
11 人間国ホウ （　）
12 大同小イ （　）
13 水玉モ様 （　）
14 議ロン百出 （　）

目標時間 15分

合格ライン 23点

得点 ／32

月　日

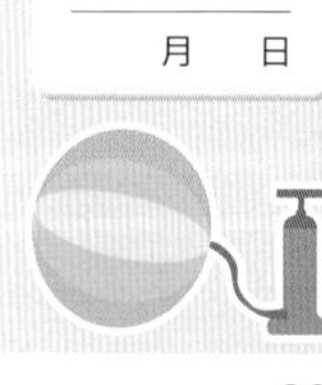

15 文化イ産

16 通学区イキ

17 期間エン長

18 政治改カク

19 キョウ土料理

20 水産資ゲン

21 自コ満足

22 公害対サク

23 体ソウ競技

24 条件反シャ

25 シュウ職活動

26 公シュウ道徳

27 平和セン言

28 セン門技術

29 親ゼン試合

30 負タン軽減

31 速達ユウ便

32 リン時列車

対義語・類義語①

目標時間 15分

合格ライン 17点

得点 ／24

月　日

● 後の□の中のひらがなを漢字になおして、**対義語**（意味が反対や対（つい）になることば）と、**類義語**（意味がよくにたことば）を書きなさい。□の中のひらがなは**一度だけ**使い、**漢字一字**を書きなさい。

対義語

応答―質（1）　（　　）
支出―（2）入　（　　）
義務―（3）利　（　　）
拡大―（4）小　（　　）
水平―（5）直　（　　）
死亡―（6）生　（　　）

対義語

公開―秘（13）　（　　）
定例―（14）時　（　　）
目的―手（15）　（　　）
地味―（16）手　（　　）
往復―（17）道　（　　）
冷静―興（18）　（　　）

類義語

地区―地（7）
始末―（8）理
価格―（9）段
未来―（10）来
広告―（11）伝
家屋―住（12）

いき・ぎ・けん・しゅう
しゅく・しょ・しょう・すい
せん・たく・たん・ね

類義語

筆者―（19）者
真心―（20）意
助言―（21）告
進歩―発（22）
他界―死（23）
開演―開（24）

かた・せい・だん・ちゅう
ちょ・てん・は・ふん
ぼう・まく・みつ・りん

対義語・類義語②

目標時間 15分
合格ライン 17点
得点 ／24
月 日

● 後の□の中のひらがなを漢字になおして、**対義語**（意味が反対や対になることば）と、**類義語**（意味がよくにたことば）を書きなさい。□の中のひらがなは**一度だけ**使い、**漢字一字**を書きなさい。

対義語

過去―（1）来（　）
短縮―（2）長（　）
実物―（3）型（　）
安全―（4）険（　）
読者―（5）者（　）
複雑―単（6）（　）

対義語

寒冷―温（13）（　）
外出―帰（14）（　）
生存―死（15）（　）
通常―（16）時（　）
快楽―苦（17）（　）
辞任―（18）任（　）

類義語

所得―(7)入
後方―(8)後
方法―手(9)
大木―大(10)
出生―(11)生
質問―質(12)

えん・き・ぎ・じゅ・しゅう
じゅん・しょう・たん
だん・ちょ・はい・も

類義語

快活―明(19)
向上―発(20)
指図―指(21)
直前―(22)前
苦言―(23)告
有名―(24)名

き・しゅう・すん・たく
だん・ちゅう・ちょ・つう
てん・ぼう・りん・ろう

対義語・類義語

目標時間 15分

合格ライン 17点

得点 ／24

月　日

●後の□の中のひらがなを漢字になおして、**対義語**（意味が反対や対(つい)になることば）と、**類義語**（意味がよくにたことば）を書きなさい。□の中のひらがなは**一度だけ**使い、**漢字一字**を書きなさい。

対義語

借用―返（1）　（　　）

複雑―（2）単　（　　）

河口―水（3）　（　　）

制服―（4）服　（　　）

容易―困（5）　（　　）

発散―（6）収　（　　）

対義語

尊重―無（13）　（　　）

悪意―（14）意　（　　）

可決―（15）決　（　　）

満潮―（16）潮　（　　）

退職―（17）職　（　　）

横糸―（18）糸　（　　）

類義語

反対―（7）議（　　）

大切―（8）重（　　）

感動―感（9）（　　）

自分―自（10）（　　）

着任―（11）任（　　）

討議―討（12）（　　）

い・かん・き・きゅう
げき・げん・こ・さい
し・しゅう・なん・ろん

類義語

加入―加（19）（　　）

明日―（20）日（　　）

役者―（21）優（　　）

給料―（22）金（　　）

保管―保（23）（　　）

外国―（24）国（　　）

い・かん・し・しゅう
ぜん・ぞん・たて・ちん
はい・ひ・めい・よく

Cランク

対義語・類義語

目標時間 15分
合格ライン 17点
得点 /24
月 日

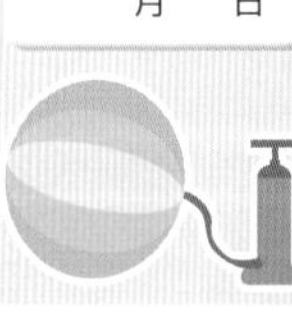

● 後の□の中のひらがなを漢字になおして、**対義語**（意味が反対や対になることば）と、**類義語**（意味がよくにたことば）を書きなさい。□の中のひらがなは**一度だけ**使い、**漢字一字**を書きなさい。

対義語

表門—（1）門
公用—（2）用
開幕—（3）幕
整理—散（4）
保守—（5）新
両方—（6）方

対義語

表側—（13）側
散在—（14）集
横断—（15）断
寒流—（16）流
増大—（17）少
順境—（18）境

類義語

任務―役（7）
感心―（8）服
手段―方（9）
記名―（10）名
改良―改（11）
重荷―負（12）

うら・かく・かた・けい
さく・し・しょ・ぜん
たん・へい・らん・わり

類義語

追加―（19）足
設立―（20）立
帰省―帰（21）
転任―転（22）
刊行―出（23）
同意―（24）成

うら・ぎゃっ・きょう・きん
げん・さん・じゅう・そう
だん・ぱん・ほ・みっ

熟語作り

● 後の□の中から漢字を選んで、次の意味にあてはまる**熟語**を作りなさい。答えは**記号**で書きなさい。

〈例〉本をよむこと。（読書）　シ サ

1 人々に前もって用心させる知らせ。

2 かんたんでよくまとまっていること。

3 とてもたいせつなこと。

4 気おくれしない強い心。

5 広げて大きくすること。

ア 度　イ 潔　ウ 警　エ 簡　オ 報　カ 拡
キ 貴　ク 張　ケ 胸　コ 重　サ 書　シ 読

6 とてもきびしい態度。

7 とてもいそぐこと。

8 目で見わたせるはんい。

9 役目につくこと。

10 けがれがないこと。

ア 至　イ 格　ウ 視　エ 任　オ 純　カ 就
キ 界　ク 急　ケ 厳　コ 真　サ 書　シ 読

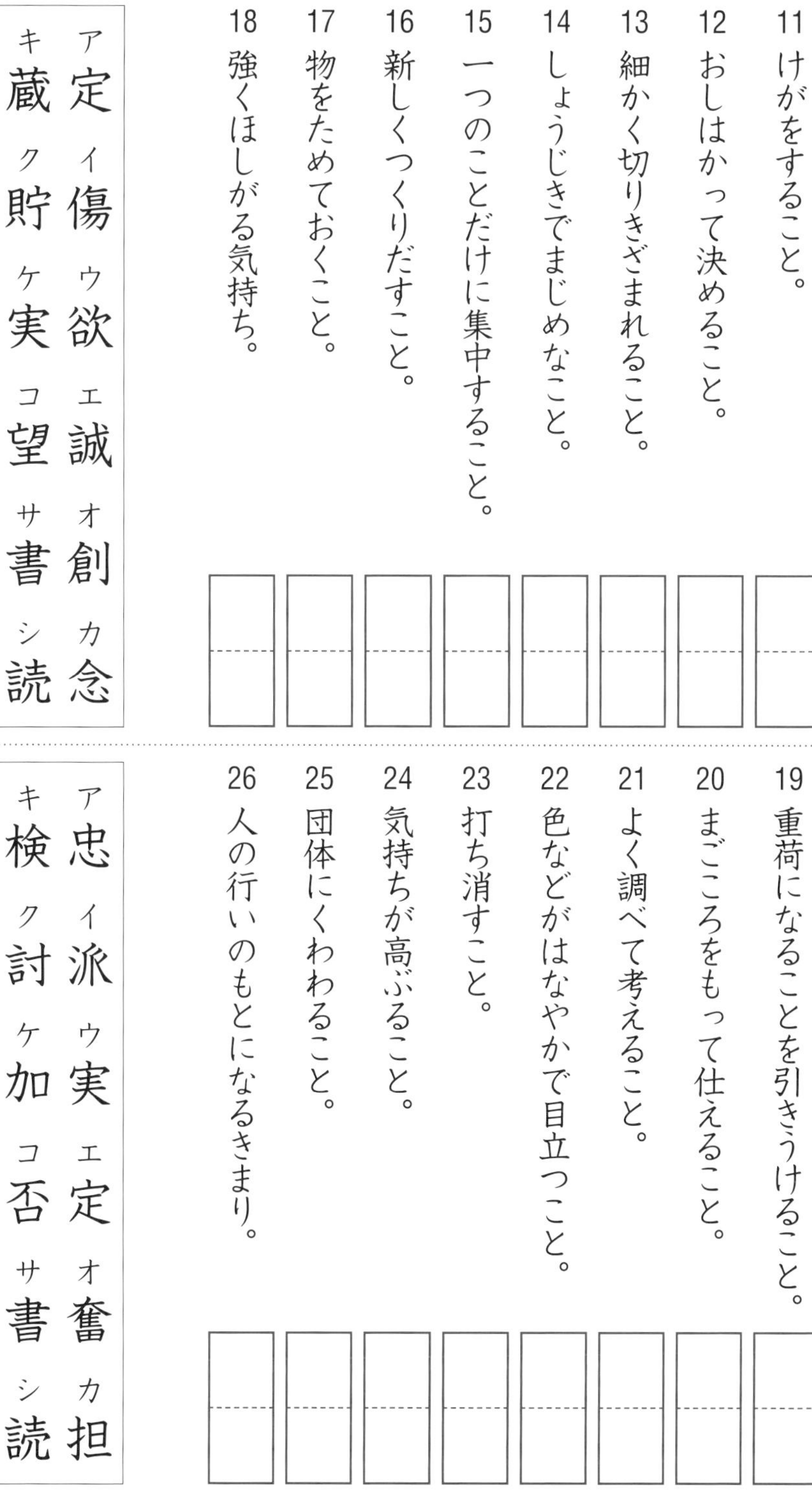

11 けがをすること。
12 おしはかって決めること。
13 細かく切りきざまれること。
14 しょうじきでまじめなこと。
15 一つのことだけに集中すること。
16 新しくつくりだすこと。
17 物をためておくこと。
18 強くほしがる気持ち。

ア 定　イ 傷　ウ 欲　エ 誠　オ 創　カ 念
キ 蔵　ク 貯　ケ 実　コ 望　サ 書　シ 読
ス 断　セ 専　ソ 作　タ 負　チ 推　ツ 寸

19 重荷になることを引きうけること。
20 まごころをもって仕えること。
21 よく調べて考えること。
22 色などがはなやかで目立つこと。
23 打ち消すこと。
24 気持ちが高ぶること。
25 団体にくわわること。
26 人の行いのもとになるきまり。

ア 忠　イ 派　ウ 実　エ 定　オ 奮　カ 担
キ 検　ク 討　ケ 加　コ 否　サ 書　シ 読
ス 盟　セ 興　ソ 手　タ 負　チ 規　ツ 律

熟語作り

● 後の□の中から漢字を選んで、次の意味にあてはまる**熟語**を作りなさい。答えは**記号**で書きなさい。

〈例〉本をよむこと。（読書）　シ・サ

1 機械などを動かすこと。
2 そのもののねうち。
3 他とちがう考えや反対の意見。
4 古いやり方などを新しくすること。
5 人にさしずすること。

ア 操　イ 値　ウ 異　エ 革　オ 指　カ 作
キ 改　ク 議　ケ 価　コ 揮　サ 書　シ 読

6 病人の世話をすること。
7 じゅうぶんに力を出すこと。
8 すい取ること。
9 生まれ育った土地。
10 おぎないたすけること。

ア 助　イ 郷　ウ 護　エ 揮　オ 収　カ 看
キ 発　ク 吸　ケ 故　コ 補　サ 書　シ 読

11 国のしくみなどのもとになるきまり。

12 意見をたたかわせること。

13 始末をつけること。

14 取りさること。

15 液体が気体になること。

16 たりないところをおぎなうこと。

17 初めてつくり出すこと。

18 他人に知られないようにすること。

ア 法　イ 理　ウ 密　エ 発　オ 補　カ 議
キ 去　ク 除　ケ 処　コ 憲　サ 書　シ 読
ス 秘　セ 蒸　ソ 造　タ 足　チ 討　ツ 創

19 大事にしまっておくこと。

20 いくつかにわけてうけもつこと。

21 作品などをならべて人に見せること。

22 意見を述べ合いたたかうこと。

23 寺社にまいって神仏をおがむこと。

24 一生の終わりのころ。

25 よい悪いのひょうかを述べること。

26 自然からとれて産業のもととなるもの。

ア 評　イ 示　ウ 参　エ 討　オ 展　カ 批
キ 晩　ク 分　ケ 源　コ 蔵　サ 書　シ 読
ス 年　セ 論　ソ 拝　タ 秘　チ 担　ツ 資

C ランク

熟語作り①

目標時間 18分
合格ライン 19点
得点 /26
月 日

● 後の□の中から漢字を選んで、次の意味にあてはまる**熟語**を作りなさい。答えは**記号**で書きなさい。

〈例〉 本をよむこと。（読書） シ サ

1 人のちえをこえる不思議なこと。
2 他の家や国をおとずれること。
3 うれしい知らせ。
4 ほんの少しだけまえ。
5 米や麦など、種子を食用とするもの。

ア 訪　イ 朗　ウ 前　エ 寸　オ 報　カ 物
キ 秘　ク 問　ケ 神　コ 穀　サ 書　シ 読

6 決めていた日にちを先にのばすこと。
7 うたがわしいこと。
8 他人の役に立つように差し出すこと。
9 生まれ育った土地。
10 ある事実をもとに、おしはかること。

ア 延　イ 供　ウ 期　エ 里　オ 疑　カ 提
キ 推　ク 問　ケ 理　コ 郷　サ 書　シ 読

11 あやまった知らせ。
12 米や麦など、種子を食用とする作物。
13 借りた物や金をかえすこと。
14 光などが物に当たってはねかえること。
15 勤め先が決まり、仕事につくこと。
16 方針などを広く表明すること。
17 これからやってくる時。
18 自分の思いどおりに動かすこと。

ア 職	イ 射	ウ 宣	エ 将	オ 縦	カ 就
キ 報	ク 類	ケ 来	コ 操	サ 書	シ 読
ス 返	セ 穀	ソ 言	タ 反	チ 誤	ツ 済

19 経験やうで前がまだ不十分なこと。
20 かんたんで、複雑でないこと。
21 とりはからって、始末をつけること。
22 自分のなまえを自分で書くこと。
23 世の中のたくさんの人びと。
24 これからのことをおしはかること。
25 まごころ。
26 おなじ学校で学んだ人。

ア 処	イ 純	ウ 未	エ 名	オ 大	カ 署
キ 置	ク 測	ケ 誠	コ 推	サ 書	シ 読
ス 衆	セ 同	ソ 意	タ 熟	チ 窓	ツ 単

C ランク

熟語作り②

目標時間 18分
合格ライン 19点
得点 ／26
月 日

● 後の□の中から漢字を選んで、次の意味にあてはまる**熟語**を作りなさい。答えは**記号**で書きなさい。

〈例〉本をよむこと。（読書）　シ サ

1 つげ知らせること。
2 一つのことだけを思うこと。
3 楽器をひくこと。
4 外国語を日本語になおすこと。
5 そのままの状態でとっておくこと。

ア 宣　イ 心　ウ 和　エ 存　オ 奏　カ 訳
キ 保　ク 専　ケ 告　コ 演　サ 書　シ 読

6 自分の家にいること。
7 目的を達成するためのやり方。
8 世間になまえがよく知られていること。
9 試合や大会などがはじまること。
10 次のつき。

ア 翌　イ 宅　ウ 開　エ 名　オ 手　カ 月
キ 幕　ク 著　ケ 段　コ 在　サ 書　シ 読

11 本をかいた人。
12 山のてっぺんにのぼること。
13 人や物をはこぶための交通料金。
14 組織などで中心となる人。
15 年をとった人をうやまうこと。
16 商売をやめること。
17 上衣とズボンからなる男性用の洋服。
18 人がしぬこと。

ア 著	キ 登	ス 店
イ 首	ク 運	セ 閉
ウ 賃	ケ 脳	ソ 死
エ 者	コ 頂	タ 背
オ 老	サ 書	チ 敬
カ 亡	シ 読	ツ 広

19 物事の悪いところを述べること。
20 ふるいたつこと。
21 穴うめのために備えておく人。
22 物事や仕組みの大きさ。
23 よくばらないこと。
24 学校などを初めてつくること。
25 人がうまれること。
26 通りみちにそったところ。

ア 補	キ 沿	ス 道
イ 奮	ク 批	セ 立
ウ 規	ケ 起	ソ 判
エ 無	コ 模	タ 欠
オ 誕	サ 書	チ 欲
カ 創	シ 読	ツ 生

熟語の構成

目標時間 15分
合格ライン 24点
得点 ／33
月　日

●漢字を二字組み合わせた熟語では、二つの漢字の間に意味の上で、次のような関係があります。

ア　反対や対になる意味の字を組み合わせたもの。（例…**強弱**）
イ　同じような意味の字を組み合わせたもの。（例…**進行**）
ウ　上の字が下の字の意味を説明（修飾）しているもの。（例…**国旗**）
エ　下の字から上の字へ返って読むと意味がよくわかるもの。（例…**消火**）

次の**熟語**は、右のア〜エのどれにあたるか、**記号**で答えなさい。

1　映写（　　）
2　延期（　　）
3　干満（　　）
4　郷里（　　）
5　勤務（　　）
6　敬老（　　）
7　尊敬（　　）
8　観劇（　　）
9　特権（　　）

10 自己
11 紅白
12 乗降
13 困苦
14 公私
15 樹木
16 縦横
17 除去

（　　）（　　）（　　）（　　）（　　）（　　）（　　）（　　）

18 善良
19 善悪
20 存在
21 寒暖
22 温暖
23 難易
24 立腹
25 開閉

（　　）（　　）（　　）（　　）（　　）（　　）（　　）（　　）

26 取捨
27 異国
28 灰色
29 看病
30 胸囲
31 帰郷
32 絹糸
33 養蚕

（　　）（　　）（　　）（　　）（　　）（　　）（　　）（　　）

熟語の構成①

目標時間 15分

合格ライン 24点

得点 ／33 月 日

●漢字を二字組み合わせた熟語では、二つの漢字の間に意味の上で、次のような関係があります。

ア　反対や対(つい)になる意味の字を組み合わせたもの。（例…**強弱**）

イ　同じような意味の字を組み合わせたもの。（例…**進行**）

ウ　上の字が下の字の意味を説明（修飾(しょく)）しているもの。（例…**国旗**）

エ　下の字から上の字へ返って読むと意味がよくわかるもの。（例…**消火**）

次の**熟語**は、右のア～エのどれにあたるか、**記号**で答えなさい。

1 私用（　　）

2 視力（　　）

3 若者（　　）

4 除草（　　）

5 除雪（　　）

6 負傷（　　）

7 厳禁（　　）

8 朝晩（　　）

9 短針（　　）

10 洗顔（　　）

11 洗車（　　）

12 洗面（　　）

13 車窓（　　）

14 帰宅（　　）

15 問答（　　）

16 去来（　　）

17 就職（　　）

18 豊富（　　）

19 在宅（　　）

20 山頂（　　）

21 登頂（　　）

22 潮風（　　）

23 家賃（　　）

24 困難（　　）

25 牛乳（　　）

26 納税（　　）

27 収納（　　）

28 班長（　　）

29 閉店（　　）

30 閉館（　　）

31 国宝（　　）

32 宝庫（　　）

33 翌週（　　）

熟語の構成②

目標時間 15分
合格ライン 24点
得点 ／33
月　日

●漢字を二字組み合わせた熟語では、二つの漢字の間に意味の上で、次のような関係があります。

ア　反対や対（つい）になる意味の字を組み合わせたもの。（例…**強弱**）
イ　同じような意味の字を組み合わせたもの。（例…**進行**）
ウ　上の字が下の字の意味を説明（修飾（しょく））しているもの。（例…**国旗**）
エ　下の字から上の字へ返って読むと意味がよくわかるもの。（例…**消火**）

次の**熟語**は、右のア〜エのどれにあたるか、**記号**で答えなさい。

1 翌日（　　）
2 往復（　　）
3 死亡（　　）

4 閉幕（　　）
5 退院（　　）
6 幼児（　　）

7 永久（　　）
8 得失（　　）
9 順延（　　）

10 悲劇（　　）

11 寒冷（　　）

12 厳守（　　）

13 降車（　　）

14 歌詞（　　）

15 半熟（　　）

16 植樹（　　）

17 軽傷（　　）

18 重傷（　　）

19 自他（　　）

20 築城（　　）

21 当落（　　）

22 価値（　　）

23 難題（　　）

24 拝礼（　　）

25 幼虫（　　）

26 翌年（　　）

27 改革（　　）

28 正誤（　　）

29 主従（　　）

30 着席（　　）

31 胃液（　　）

32 育児（　　）

33 善意（　　）

熟語の構成

目標時間 15分

合格ライン 24点

得点 ／33

月　日

●漢字を二字組み合わせた熟語では、二つの漢字の間に意味の上で、次のような関係があります。

ア　反対や対になる意味の字を組み合わせたもの。（例…**強弱**）

イ　同じような意味の字を組み合わせたもの。（例…**進行**）

ウ　上の字が下の字の意味を説明（修飾）しているもの。（例…**国旗**）

エ　下の字から上の字へ返って読むと意味がよくわかるもの。（例…**消火**）

次の**熟語**は、右のア～エのどれにあたるか、**記号**で答えなさい。

1 損益（　）

2 進退（　）

3 世論（　）

4 激減（　）

5 停止（　）

6 遺品（　）

7 就任（　）

8 敬意（　）

9 禁止（　）

10 母乳（　　）

11 暖流（　　）

12 肥満（　　）

13 水源（　　）

14 乳歯（　　）

15 収支（　　）

16 温泉（　　）

17 因果（　　）

18 胸中（　　）

19 紅茶（　　）

20 増減（　　）

21 敬語（　　）

22 破損（　　）

23 視点（　　）

24 食欲（　　）

25 激増（　　）

26 防災（　　）

27 秒針（　　）

28 脳波（　　）

29 善行（　　）

30 建築（　　）

31 庁舎（　　）

32 純金（　　）

33 断続（　　）

同じ読みの漢字

目標時間 24分

合格ライン 31点

得点 ／44

月　日

●次の――線のカタカナを漢字になおしなさい。

1 大きなマンションにスむ。（　）
2 宿題をスませてから遊びに行く。（　）
3 長い話をカン潔にまとめる。（　）
4 カン護師を目指して勉強する。（　）
5 パラシュートで陸にコウ下する。（　）
6 薬のコウ果があらわれる。（　）
7 プレゼントを包ソウしてもらう。（　）
8 太古の地ソウから化石が見つかる。（　）
9 ロボットをリモコンでソウ縦する。（　）

10 自コ中心的な考えを改める。（　）
11 運動を終えてコ吸を整えた。（　）
12 病院で内ゾウの検査をする。（　）
13 倉庫に食料を貯ゾウする。（　）
14 時コクは深夜一時を過ぎた。（　）
15 コク物の生産量が減少する。（　）
16 黒板の文字をノートにウツす。（　）
17 鏡に自分の姿をウツす。（　）
18 となりの部屋に家具をウツす。（　）

19 **シオ**で味をつける。

20 **シオ**が満ちてきた。

21 林をぬけると**シ**界が開けた。

22 図書館で**シ**語を注意された。

23 **セイ**火を運ぶランナーとなる。

24 **セイ**意ある対応をする。

25 温**セン**にゆっくりつかった。

26 **セン**門的な知識が役に立った。

27 来週から新作**エイ**画が公開される。

28 月は地球の**エイ**星である。

29 オーケストラの指**キ**をする。

30 **キ**重品を金庫にしまった。

31 足元が暗く**キ**険な道を行く。

32 世界**イ**産に登録された。

33 連休で**イ**常なほど人出が多い。

34 地球温**ダン**化の対策を進める。

35 階**ダン**を上がって二階に行った。

36 墓にお**ソナ**え物をする。

37 旅行に**ソナ**えて荷物をまとめる。

38 国民には**ノウ**税の義務がある。

39 頭**ノウ**を働かせて難問を解く。

40 駅周辺の道路を**カク**張する。

41 城の天守**カク**がそびえている。

42 負**ショウ**者の救護にあたる。

43 **ショウ**来は医師になりたい。

44 自転車のブレーキが故**ショウ**した。

同じ読みの漢字

目標時間 **24**分

合格ライン **31**点

得点 /44

月　日

● 次の――線の**カタカナ**を**漢字**になおしなさい。

1 **ジ**石を使っておもちゃを作る。（　）
2 入学式で祝**ジ**を述べる。（　）

3 人物画の**ハイ**景を青くぬる。（　）
4 寺院内の建物を**ハイ**観する。（　）

5 **サイ**判官が判決理由を述べる。（　）
6 言動に**サイ**心の注意をはらう。（　）

7 将来の夢を**トモ**と語り合う。（　）
8 最後まで**トモ**に戦おう。（　）
9 母の買い物のお**トモ**をする。（　）

10 **ケイ**察官が地域をパトロールする。（　）
11 **ケイ**統立てて説明する。（　）

12 **ヨウ**児と手をつないで歩く。（　）
13 密閉**ヨウ**器で保存する。（　）

14 姉は銀行に**ツト**めている。（　）
15 早起きをするよう**ツト**めている。（　）

16 県**チョウ**所在地を調べる。（　）
17 ようやく山**チョウ**が見えてきた。（　）
18 満**チョウ**になると岩は海にしずむ。（　）

19 他人に**ヒ**密を打ち明ける。
20 現地までの交通**ヒ**がかかる。
21 法**リツ**に従って適切に対応する。
22 能**リツ**の悪い方法を改める。
23 **スイ**直に切り立ったがけがある。
24 事態の**スイ**移を見守る。
25 辺りにはごみが散**ラン**していた。
26 遊園地の観**ラン**車に乗った。
27 食堂の入り口で食**ケン**を買う。
28 自分の**ケン**利を主張する。
29 競技場に観**シュウ**がつめかけた。
30 保険会社に**シュウ**職する。
31 **シュウ**教の教えを守っている。

32 地区大会で**ユウ**勝した。
33 **ユウ**便局で切手を買った。
34 雨で遠足が**エン**期になった。
35 太平洋**エン**岸の町に住む。
36 **ゲキ**場でバレエの公演を見る。
37 美しい星空を見て感**ゲキ**する。
38 長年の**ギ**問がようやく解けた。
39 国会**ギ**員を選ぶ選挙が行われる。
40 古い校**シャ**を改築する。
41 日光がガラスに反**シャ**する。
42 天候不順で野菜の**ネ**が上がる。
43 草むらから虫の**ネ**が聞こえる。
44 植物が地中に**ネ**を張る。

C ランク

同じ読みの漢字

目標時間 **24**分

合格ライン **31**点

得点 ／44

月　日

●次の――線の**カタカナ**を**漢字**になおしなさい。

1 **ハラ**っぱで草花をつんだ。（　）
2 食べ過ぎたのか**ハラ**が痛い。（　）
3 三年ぶりに**キョウ**里に帰る。（　）
4 各国の料理を提**キョウ**する。（　）
5 **リン**時の窓口が設けられた。（　）
6 花びんに一**リン**の花を生ける。（　）
7 帰省して親**コウ**行をする。（　）
8 **コウ**白に分かれて競争する。（　）
9 **コウ**鉄の板に穴をあける。（　）

10 小学生の絵を**テン**示する。（　）
11 赤いランプが**テン**灯する。（　）
12 君主が国を**オサ**める。（　）
13 注文の品を期日中に**オサ**める。（　）
14 **ボウ**風により看板が破損した。（　）
15 鉄**ボウ**で何度も前回りをした。（　）
16 太平洋の深海を**タン**査する。（　）
17 係の仕事を分**タン**する。（　）
18 生命の**タン**生のなぞにせまる。（　）

19 連休中はずっと家に**イ**た。

20 的をねらって矢を**イ**た。

21 **キン**続年数が十年をこえる。

22 **キン**肉をきたえる運動をする。

23 **チョ**名な作家のサインをもらう。

24 お年玉はすべて**チョ**金している。

25 新しい知識を**キュウ**収する。

26 災害現場で**キュウ**助活動をする。

27 **ソウ**立記念日で学校は休みだ。

28 ピアノの演**ソウ**に耳をかたむける。

29 **トウ**分をひかえた食事をする。

30 支持する政**トウ**に投票する。

31 学級運営について**トウ**論する。

32 合格の基**ジュン**を明確に示す。

33 製品に不**ジュン**物が混入する。

34 リモコンの電**チ**を入れかえる。

35 たがいの価**チ**観を尊重する。

36 野球の**シン**善試合が行われる。

37 今後の方**シン**について説明する。

38 本の**カン**末に付録をつける。

39 潮の**カン**満の差が激しい。

40 病気がなおって**タイ**院する。

41 兵**タイ**となって戦場に行った。

42 古くなった衣服を**ショ**分する。

43 駅前で**ショ**名活動をする。

44 アフリカ**ショ**国を歴訪する。

四字熟語

5級以下の配当漢字を使った四字熟語の中で、意味がわかりにくいものを50音順にのせました。確認(にん)しておきましょう。

意気投合（いきとうごう）
考えや気持ちがぴったり合うこと。

異口同音（いくどうおん）
多くの人が口をそろえて同じ内容のことを言うこと。

一挙両得（いっきょりょうとく）
一つの行動で二つの利益を同時に得ること。

一視同仁（いっしどうじん）
すべての人々を区別せず、同じように愛すること。

一進一退（いっしんいったい）
進んだり退いたり、またはよくなったり悪くなったりすること。

一心不乱（いっしんふらん）
一つのことに集中して、ほかのことは考えない様子。

永久保存（えいきゅうほぞん）
永遠にそのままの状態でとっておくこと。

完全無欠（かんぜんむけつ）
欠点や不足がまったくなく完ぺきなこと。

危急存亡（ききゅうそんぼう）
危機がせまって、生きるか死ぬかのせとぎわのこと。

起死回生（きしかいせい）
絶望的な状態を一気によい方向に立て直すこと。

急転直下（きゅうてんちょっか）
物事の状態や様子が急に変わって解決に向かうこと。

郷土芸能（きょうどげいのう）
地域の祭礼などで行われる芸能。

興味本位（きょうみほんい）
おもしろいかどうかを第一の基準とすること。

玉石混交（ぎょくせきこんこう）
よいものと悪いもの、または価値のあるものとないものが混ざり合っていること。

空前絶後（くうぜんぜつご）
過去にも未来にもあり得ないと思えるほどめずらしいこと。

公私混同（こうしこんどう）
公共や公務に関することと個人的なことを区別しないこと。

国際親善（こくさいしんぜん）
他の国々と親しく付き合い、仲良くなること。

言語道断（ごんごどうだん）
あまりにひどくて言葉にできないこと。もってのほか。

賛否両論（さんぴりょうろん）
賛成と反対の両方の意見。

自画自賛（じがじさん）
自分で自分のことをほめること。

時間厳守（じかんげんしゅ）
約束の時間などをしっかり守ること。

自給自足（じきゅうじそく）
自分に必要なものは、自分でつくって間に合わせること。

自己実現（じこじつげん）
自分の中の可能性を見つけ、十分に能力を発展させること。

四捨五入（ししゃごにゅう）
四以下は切り捨てて、五以上は切り上げて次の位に一を加えて計算する方法。

至上命令（しじょうめいれい）
どんなことがあっても、従わなければならない命令。

質疑応答（しつぎおうとう）
一方が質問し、他方がそれに答えること。

蒸気機関（じょうききかん）
蒸気の圧力で動力を得る装置。

私利私欲（しりしよく）
自分の利益や欲望だけのために行動すること。

心機一転（しんきいってん）
何かをきっかけに気持ちががらりと望ましい方向へ変わること。

針小棒大（しんしょうぼうだい）
たいしたことのない小さいことを大げさに言うこと。

誠心誠意（せいしんせいい）
このうえないまごころ。

生存競争（せいぞんきょうそう）
生物が生き残ろうとして争うこと。

絶体絶命（ぜったいぜつめい）
もうどうにもならない困難な立場にあること。

千変万化（せんぺんばんか）
さまざまに変化すること。

創作意欲（そうさくいよく）
新しいものをつくり出そうとする気持ち。

大器晩成（たいきばんせい）
大人物となる人間は、ふつうよりもおくれてすぐれた業績をあげるということ。

大同小異（だいどうしょうい）
小さなちがいはあっても、だいたいは同じであること。

単純明快（たんじゅんめいかい）
物事が簡単でわかりやすいこと。

単刀直入（たんとうちょくにゅう）
余計なことを言わないで、いきなり本題に入ること。

天変地異（てんぺんちい）
台風、かみなり、地震（しん）など天空や地上に起こる異変。

日進月歩（にっしんげっぽ）
絶え間なく進歩すること。

半信半疑（はんしんはんぎ）
半ば信じて、半ば疑っていること。うそか本当かを決めかねている様子。

不言実行（ふげんじっこう）
やらなければならないことを、あれこれ言わず、だまって実行すること。

補足説明（ほそくせつめい）
不十分な点を補うために付け足した説明。

無病息災（むびょうそくさい）
病気をせず、健康であること。

無理難題（むりなんだい）
実現が難しい要求。無理な言いがかり。

明朗快活（めいろうかいかつ）
明るくてほがらかで元気がよいこと。

優先順位（ゆうせんじゅんい）
物事の大切さによって決められた順番のこと。

有名無実（ゆうめいむじつ）
名ばかりで、それに合った実質がないこと。

油断大敵（ゆだんたいてき）
油断は失敗のもとになる、おそろしい敵のようだということ。

欲求不満（よっきゅうふまん）
欲求が思いどおりに満たされていない状態。フラストレーション。

臨機応変（りんきおうへん）
時と場合に応じて、適切な処置をすること。

臨時休業（りんじきゅうぎょう）
以前から決められた休日以外に、必要に応じて店などを休みにすること。

熟字訓・当て字・特別な読みの都道府県名と特別な読みの用例

小学校で習う熟字訓・当て字・特別な読みの都道府県名と、特別な読みの用例をのせました。

熟字訓・当て字

明日	あす
大人	おとな
母さん	かあさん
河原・川原	かわら
昨日	きのう
今日	きょう
果物	くだもの
今朝	けさ
景色	けしき
今年	ことし
清水	しみず
上手	じょうず
七夕	たなばた
一日	ついたち
手伝う	てつだう
父さん	とうさん
時計	とけい
友達	ともだち
兄さん	にいさん
姉さん	ねえさん
博士	はかせ
二十日	はつか
一人	ひとり
二人	ふたり
二日	ふつか
下手	へた
部屋	へや
迷子	まいご
真面目	まじめ
真っ赤	まっか
真っ青	まっさお
眼鏡	めがね
八百屋	やおや

特別な読みの都道府県名

愛媛	えひめ
茨城	いばらき
岐阜	ぎふ
鹿児島	かごしま
滋賀	しが
宮城	みやぎ
神奈川	かながわ
鳥取	とっとり
大阪	おおさか
富山	とやま
大分	おおいた
奈良	なら

特別な読みの用例

雨雲	あまぐも
金物	かなもの
群がる	むらがる
合戦	かっせん
再来年	さらいねん
留守	るす
酒場	さかば
上着	うわぎ
磁石	じしゃく
船旅	ふなたび
天の川	あまのがわ
句読点	くとうてん
白ける	しらける
木立	こだち
問屋	とんや

部首一覧

画数ごとに部首と部首名をのせました。部首を覚えるときは部首名といっしょに覚えるようにすると覚えやすいです。

1画

一	いち
丨	ぼう たてぼう
丶	てん
ノ	の はらいぼう
乙	おつ
乚	おつ
亅	はねぼう

2画

二	に
亠	なべぶた けいさんかんむり
人	ひと
亻	にんべん
𠆢	ひとやね
入	いる
儿	ひとあし にんにょう
八	はち
ハ	は
冂	どうがまえ けいがまえ まきがまえ
冖	わかんむり
冫	にすい
几	つくえ
凵	うけばこ
刀	かたな
刂	りっとう
力	ちから
勹	つつみがまえ
匕	ひ
匚	はこがまえ
匸	かくしがまえ
十	じゅう
卜	と うらない
卩	わりふ ふしづくり
㔾	わりふ ふしづくり
厂	がんだれ
厶	む
又	また

3画

口	くち
口	くちへん
囗	くにがまえ
土	つち
土	つちへん
士	さむらい
夂	すいにょう ふゆがしら
夕	た ゆうべ
大	だい
女	おんな
女	おんなへん
子	こ
子	こへん
宀	うかんむり
寸	すん
小	しょう
⺌	しょう
尢	だいのまげあし
尸	かばね しかばね
屮	てつ
山	やま
山	やまへん
川	かわ
巛	かわ
工	え たくみ
工	たくみへん
己	おのれ
巾	はば

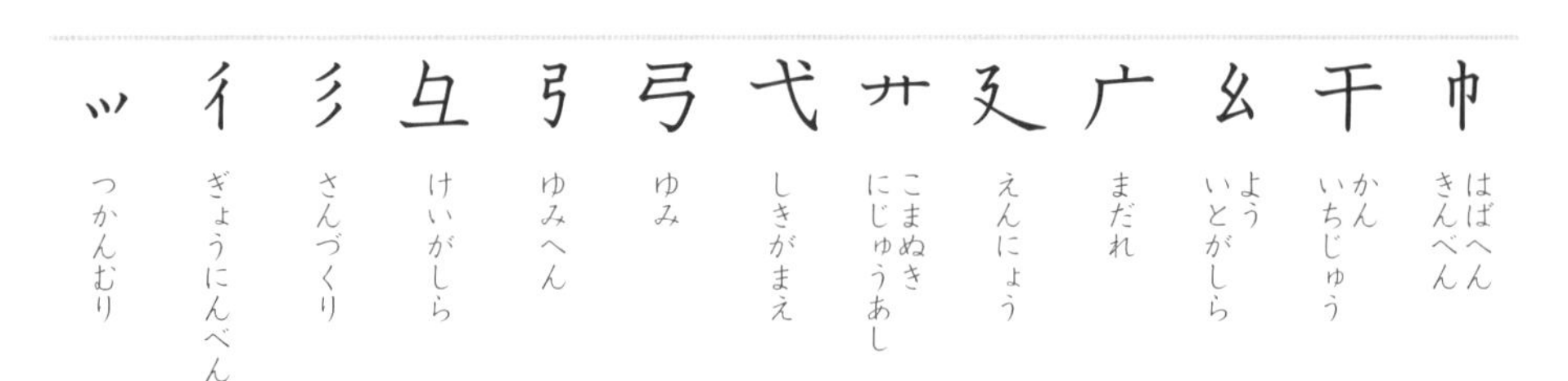

- 巾　はばへん　きんべん
- 干　かん　いちじゅう
- 幺　よう　いとがしら
- 广　まだれ
- 廴　えんにょう
- 廾　こまぬき　にじゅうあし
- 弋　しきがまえ
- 弓　ゆみ
- 弓　ゆみへん
- 彑　けいがしら
- 彡　さんづくり
- 彳　ぎょうにんべん
- ⺍　つかんむり

忄↓もとは心（4画へ）
扌↓もとは手（4画へ）
氵↓もとは水（4画へ）
犭↓もとは犬（4画へ）
艹↓もとは艸（6画へ）
辶↓もとは辵（7画へ）
阝(右)↓もとは邑（7画へ）
阝(左)↓もとは阜（8画へ）

4画

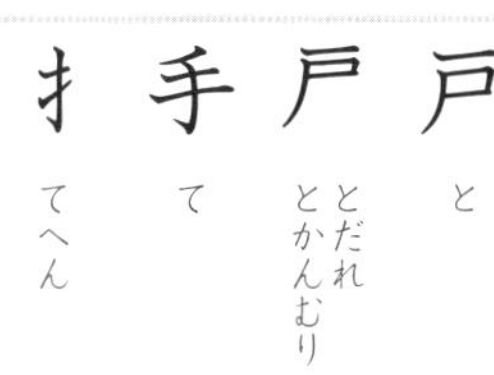

- 心　こころ
- 忄　りっしんべん
- ⺗　したごころ
- 戈　ほこづくり　ほこがまえ
- 戸　と
- 戸　とだれ　とかんむり
- 手　て
- 扌　てへん
- 支　し
- 攵　のぶん　ぼくづくり
- 文　ぶん
- 斗　とます
- 斤　きん
- 斤　おのづくり
- 方　ほう
- 方　ほうへん　かたへん
- 日　ひ
- 日　ひへん
- 曰　ひらび　いわく
- 月　つき
- 月　つきへん
- 木　き
- 木　きへん
- 欠　あくび　かける
- 止　とめる
- 歹　かばねへん　いちたへん　がつへん
- 殳　るまた　ほこづくり
- 毋　なかれ
- 比　ならびひ　くらべる
- 毛　け
- 氏　うじ
- 气　きがまえ
- 水　みず
- 氵　さんずい
- 氺　したみず
- 火　ひ
- 火　ひへん
- 灬　れんが　れっか
- 爪　つめ
- 爫　つめかんむり　つめがしら
- 父　ちち
- 片　かた
- 片　かたへん
- 牙　きば
- 牛　うし
- 牛　うしへん
- 犬　いぬ
- 犭　けものへん

王・⺩↓もとは玉（5画へ）
礻↓もとは示（5画へ）
耂↓もとは老（6画へ）
辶↓もとは辵（7画へ）

5画

- 玄　げん
- 玉　たま
- 王　おう
- ⺩　おうへん　たまへん
- 瓦　かわら
- 甘　かん　あまい
- 生　うまれる
- 用　もちいる
- 田　た

部首	名称
田	たへん
疋	ひき
𤴔	ひきへん
疒	やまいだれ
癶	はつがしら
白	しろ
皮	けがわ
皿	さら
目	め
目	めへん
矛	ほこ
矢	や
矢	やへん
旡	なし ぶ すでのつくり
石	いし
石	いしへん
示	しめす
礻	しめすへん
禾	のぎ
禾	のぎへん
穴	あな
穴	あなかんむり
立	たつ
立	たつへん

氺→もとは水（4画へ）
罒→もとは网（6画へ）
衤→もとは衣（6画へ）

6画

部首	名称
竹	たけ
⺮	たけかんむり
米	こめ
米	こめへん
糸	いと
糸	いとへん
缶	ほとぎ
罒	あみがしら あみめ よこめ
羊	ひつじ
羽	はね
耂	おいかんむり おいがしら
而	しかして しこうして
耒	すきへん らいすき
耳	みみ
耳	みみへん
聿	ふでづくり
肉	にく
月	にくづき
自	みずから
至	いたる
臼	うす
舌	した
舟	ふね
舟	ふねへん
艮	ねづくり こんづくり
色	いろ
艹	くさかんむり
虍	とらがしら とらかんむり
虫	むし
虫	むしへん
血	ち
行	ぎょう
行	ぎょうがまえ ゆきがまえ
衣	ころも
衤	ころもへん
西	にし
覀	おおいかんむり

7画

部首	名称
見	みる
臣	しん
角	かく つの
角	つのへん
言	げん
言	ごんべん
谷	たに
豆	まめ
豕	ぶた いのこ
豸	むじなへん
貝	かい こがい
貝	かいへん
赤	あか

走 はしる
走 そうにょう
足 あし
⻊ あしへん
身 み
車 くるま
車 くるまへん
辛 からい
辰 しんのたつ
辶 しんにょう しんにゅう
辶 しんにょう しんにゅう
阝 おおざと
酉 ひよみのとり

酉 とりへん
釆 のごめ
釆 のごめへん
里 さと
里 さとへん
舛 まいあし
麦 むぎ
麦 ばくにょう

8画

金 かね
金 かねへん
長 ながい
門 もん

門 もんがまえ
阜 おか
阝 こざとへん
隶 れいづくり
隹 ふるとり
雨 あめ
⻗ あめかんむり
青 あお
非 あらず ひ
斉 せい

飠↓もとは食（9画へ）

9画

面 めん

10画

革 かくのかわ つくりがわ
革 かわへん
音 おと
頁 おおがい
風 かぜ
飛 とぶ
食 しょく
食 しょくへん
飠 しょくへん
首 くび
香 か かおり
馬 うま

馬 うまへん
骨 ほね
骨 ほねへん
高 たかい
髟 かみがしら
鬯 ちょう
鬼 おに
鬼 きにょう
韋 なめしがわ
竜 りゅう

11画

魚 うお
魚 うおへん

鳥 とり
鹿 しか
麻 あさ
黄 き
黒 くろ
亀 かめ

12画

歯 は
歯 はへん

13画

鼓 つづみ

14画

鼻 はな

5級以下の配当漢字表

5級以下の配当漢字を50音順に並べました。各漢字の下に、読み、部首をのせ、5級配当漢字については本文で登場したページものせました。

漢字	読み	部首	ページ
愛	アイ	心	
悪	アク・オ★・わる(い)	心	
圧	アツ	土	
安	アン・やす(い)	宀	
案	アン	木	
暗	アン・くら(い)	日	
以	イ	人	
衣	イ・ころも☆	衣	
位	イ・くらい	亻	
囲	イ・かこ(む)・かこ(う)	囗	
医	イ	匚	
委	イ・ゆだ(ねる)	女	
胃	イ	肉	P.42
異	イ・こと	田	P.36
移	イ・うつ(る)・うつ(す)	禾	
意	イ	心	
遺	イ・ユイ☆	辶	P.18
域	イキ	土	P.12
育	イク・そだ(つ)・そだ(てる)・はぐく(む)	肉	
一	イチ・イツ・ひと・ひと(つ)	一	
茨	いばら	艹	
引	イン・ひ(く)・ひ(ける)	弓	
印	イン・しるし	卩	
因	イン・よ(る)★	囗	
員	イン	口	
院	イン	阝	
飲	イン・の(む)	食	
右	ウ・ユウ・みぎ	口	
宇	ウ	宀	P.24
羽	ウ☆・は・はね	羽	
雨	ウ・あめ・あま	雨	
運	ウン・はこ(ぶ)	辶	
雲	ウン・くも	雨	
永	エイ・なが(い)	水	
泳	エイ・およ(ぐ)	氵	
英	エイ	艹	
映	エイ・うつ(る)・うつ(す)・は(える)☆	日	P.12
栄	エイ・さか(える)・は(え)★・は(える)★	木	
営	エイ・いとな(む)	⺍	
衛	エイ	行	
易	エキ・イ・やさ(しい)	日	
益	エキ・ヤク★	皿	
液	エキ	氵	
駅	エキ	馬	
円	エン・まる(い)	冂	
延	エン・の(びる)・の(べる)・の(ばす)	廴	P.18
沿	エン・そ(う)	氵	P.18
媛	エン☆	女	
園	エン・その☆	囗	
遠	エン・オン★・とお(い)	辶	
塩	エン・しお	土	
演	エン	氵	
王	オウ	王	
央	オウ	大	
応	オウ・こた(える)	心	
往	オウ	彳	
桜	オウ★・さくら	木	
横	オウ・よこ	木	
岡	おか	山	
屋	オク・や	尸	
億	オク	亻	
音	オン・イン☆・おと・ね	音	
恩	オン	心	P.24
温	オン・あたた(か)・あたた(かい)・あたた(まる)・あたた(める)	氵	
下	カ・ゲ・した・しも・もと☆・さ(げる)・さ(がる)・くだ(る)・くだ(す)・くだ(さる)・お(ろす)・お(りる)	一	
化	カ・ケ☆・ば(ける)・ば(かす)	匕	
火	カ・ひ・ほ★	火	
加	カ・くわ(える)・くわ(わる)	力	
可	カ	口	
仮	カ・ケ☆・かり	亻	

※☆は中学校で習う読み、★は高校で習う読みです。

漢字	何	花	価	果	河	科	夏	家	荷	貨	過	歌	課	我	画
読み	カ☆ なに なん	カ はな	カ あたい★	カ は(たす) は(てる) は(て)	カ かわ	カ	カ ゲ☆ なつ	カ・ケ いえ や	カ☆ に	カ	カ す(ぎる) す(ごす) ★あやま(つ) ★あやま(ち)	カ うた うた(う)	カ	ガ☆ われ わ☆	ガ カク
部首	亻	艹	亻	木	氵	禾	夂	宀	艹	貝	辶	欠	言	戈	田
ページ														P.18	

漢字	芽	賀	回	灰	会	快	改	海	界	械	絵	開	階	解
読み	ガ め	ガ	カイ エ★ まわ(る) まわ(す)	カイ☆ はい	カイ エ★ あ(う)	カイ こころよ(い)	カイ あらた(める) あらた(まる)	カイ うみ	カイ	カイ	カイ エ	カイ ひら(く) ひら(ける) あ(く) あ(ける)	カイ	カイ ゲ★ と(く) と(かす) と(ける)
部首	艹	貝	口	火	𠆢	忄	攵	氵	田	木	糸	門 もんがまえ	阝	角
ページ				P.24										

漢字	貝	外	害	街	各	角	拡	革	格	覚	閣	確	学	楽	額
読み	かい	ガイ ゲ☆ そと ほか はず(す) はず(れる)	ガイ	ガイ カイ☆ まち	カク おのおの★	カク かど つの	カク	カク かわ☆	カク コウ★	カク おぼ(える) さ(ます) さ(める)	カク	カク たし(か) たし(かめる)	ガク まな(ぶ)	ガク・ラク たの(しい) たの(しむ)	ガク ひたい
部首	貝	夕	宀	行	口	角	扌	革	木	見	門 もんがまえ	石	子	木	頁
ページ							P.30	P.36			P.36				

漢字	潟	活	割	株	干	刊	完	官	巻	看	寒	間	幹	感	漢	慣
読み	かた	カツ	カツ☆ わ(る) わり わ(れる) さ(く)☆	かぶ	カン ほ(す) ひ(る)☆	カン	カン	カン	カン ま(く) まき	カン	カン さむ(い)	カン・ケン あいだ ま	カン みき	カン	カン	カン な(れる) な(らす)
部首	氵	氵	刂	木	干	刂	宀	宀	㔾	目	宀	門 もんがまえ	干	心	氵	忄
ページ			P.24	P.30	P.18				P.12	P.24						

漢字	管	関	館	簡	観	丸	岸	岩	眼	顔	願	危	机	気	岐
読み	カン くだ	カン せき かか(わる)	カン やかた	カン	カン	ガン まる まる(い) まる(める)	ガン きし	ガン いわ	ガン ゲン★ まなこ☆	ガン かお	ガン ねが(う)	キ あぶ(ない) あや(うい)☆ あや(ぶむ)☆	キ☆ つくえ	キ ケ	キ☆
部首	⺮	門 もんがまえ	飠	⺮	見	丶	山	山	目	頁	頁	㔾	木	气	山
ページ				P.36								P.24	P.24		

漢字	希	汽	季	紀	記	起	帰	基	寄	規	喜	揮	期	貴	旗
読み	キ	キ	キ	キ	キ しる(す)	キ お(きる) お(こる) お(こす)	キ かえ(る) かえ(す)	キ もと☆ もとい★	キ よ(る) よ(せる)	キ	キ よろこ(ぶ)	キ	キ ゴ★	キ たっと(い)☆ とうと(い)☆ たっと(ぶ)☆ とうと(ぶ)☆	キ はた
部首	巾	氵	子	糸	言	走	巾	土	宀	見	口	扌	月 つき	貝	方
ページ												P.24		P.30	

漢字	読み	部首	ページ
器	キ うつわ☆	口	
機	キ はた☆	木	
技	ギ わざ☆	扌	
義	ギ	羊	
疑	ギ うたが(う)	疋	P.36
議	ギ	言	
客	キャク カク☆	宀	
逆	ギャク さか さか(らう)	辶	
九	キュウ ク ここの ここの(つ)	乙	
久	キュウ ク★ ひさ(しい)	ノ	
弓	キュウ☆ ゆみ	弓	
旧	キュウ	日	
休	キュウ やす(む) やす(まる) やす(める)	亻	
吸	キュウ す(う)	口	P.12
求	キュウ もと(める)	水	

漢字	読み	部首	ページ
究	キュウ きわ(める)☆	穴	
泣	キュウ☆ な(く)	氵	
急	キュウ いそ(ぐ)	心	
級	キュウ	糸	
宮	キュウ グウ☆ ク★ みや	宀	
救	キュウ すく(う)	攵	
球	キュウ たま	王	
給	キュウ	糸	
牛	ギュウ うし	牛	
去	キョ コ さ(る)	厶	
居	キョ い(る)	尸	
挙	キョ あ(げる) あ(がる)	手	
許	キョ ゆる(す)	言	
魚	ギョ うお さかな	魚	
漁	ギョ リョウ	氵	
共	キョウ とも	八	

漢字	読み	部首	ページ
京	キョウ ケイ☆	亠	
供	キョウ ク★ そな(える) とも	亻	P.36
協	キョウ	十	
胸	キョウ むね むな☆	月(にくづき)	P.12
強	キョウ ゴウ☆ つよ(い) つよ(まる) つよ(める) し(いる)☆	弓	
教	キョウ おし(える) おそ(わる)	攵	
郷	キョウ ゴウ☆	阝	P.24
境	キョウ ケイ☆ さかい	土	
橋	キョウ はし	木	
鏡	キョウ かがみ	金	
競	キョウ ケイ きそ(う)☆ せ(る)★	立	
業	ギョウ ゴウ★ わざ☆	木	
曲	キョク ま(がる) ま(げる)	曰	
局	キョク	尸	

漢字	読み	部首	ページ
極	キョク ゴク☆ きわ(める)☆ きわ(まる)☆ きわ(み)☆	木	
玉	ギョク たま	玉	
均	キン	土	
近	キン ちか(い)	辶	
金	キン・コン かね・かな	金	
勤	キン ゴン★ つと(める) つと(まる)	力	P.24
筋	キン すじ	竹	P.12
禁	キン	示	
銀	ギン	金	
区	ク	匚	
句	ク	口	
苦	ク くる(しい) くる(しむ) くる(しめる) にが(い) にが(る)	艹	
具	グ	八	

漢字	読み	部首	ページ
空	クウ そら あ(く) あ(ける) から	穴	
熊	くま	灬	
君	クン きみ	口	
訓	クン	言	
軍	グン	車	
郡	グン	阝	
群	グン む(れる) む(れ) むら	羊	
兄	ケイ☆ キョウ あに	儿	
形	ケイ ギョウ かた かたち	彡	
系	ケイ	糸	P.24
径	ケイ	彳	
係	ケイ かか(る) かかり	亻	
型	ケイ かた	土	
計	ケイ はか(る) はか(らう)	言	

漢字	読み	部首	ページ
経	ケイ キョウ☆ へ(る)	糸	
敬	ケイ うやま(う)	攵	P.30
景	ケイ	日	
軽	ケイ かる(い) かろ(やか)☆	車	
警	ケイ	言	P.18
芸	ゲイ	艹	
劇	ゲキ	刂	P.36
激	ゲキ はげ(しい)	氵	P.12
欠	ケツ か(ける) か(く)	欠	
穴	ケツ☆ あな	穴	P.24
血	ケツ ち	血	
決	ケツ き(める) き(まる)	氵	
結	ケツ むす(ぶ) ゆ(う)☆ ゆ(わえる)☆	糸	
潔	ケツ いさぎよ(い)★	氵	
月	ゲツ ガツ つき	月(つき)	
犬	ケン いぬ	犬	

漢字	読み	部首	ページ
件	ケン	イ	
見	ケン み(る) み(える) み(せる)	見	
券	ケン	刀	P.36
建	ケン コン★ た(てる) た(つ)	廴	
研	ケン と(ぐ)☆	石	
県	ケン	目	
健	ケン すこ(やか)☆	イ	
険	ケン けわ(しい)	阝	
検	ケン	木	
絹	ケン★ きぬ	糸	P.30
権	ケン ゴン★	木	P.36
憲	ケン	心	P.48
験	ケン ゲン★	馬	
元	ゲン ガン もと	儿	
言	ゲン・ゴン い(う) こと	言	

漢字	読み	部首	ページ
限	ゲン かぎ(る)	阝	
原	ゲン はら	厂	
現	ゲン あらわ(れる) あらわ(す)	王	
減	ゲン へ(る) へ(らす)	氵	
源	ゲン みなもと	氵	P.18
厳	ゲン ゴン★ おごそ(か) ☆ きび(しい)	⺍	P.18
己	コ キ☆ おのれ☆	己	P.42
戸	コ と	戸	
古	コ ふる(い) ふる(す)	口	
呼	コ よ(ぶ)	口	P.12
固	コ かた(める) かた(まる) かた(い)	囗	
故	コ ゆえ☆	攵	
個	コ	イ	
庫	コ ク★	广	
湖	コ みずうみ	氵	

漢字	読み	部首	ページ
五	ゴ いつ いつ(つ)	二	
午	ゴ	十	
後	ゴ コウ のち うし(ろ) あと おく(れる) ☆	彳	
語	ゴ かた(る) かた(らう)	言	
誤	ゴ あやま(る)	言	P.18
護	ゴ	言	
口	コウ ク くち	口	
工	コウ ク	工	
公	コウ おおやけ☆	八	
功	コウ ク★	力	
広	コウ ひろ(い) ひろ(まる) ひろ(める) ひろ(がる) ひろ(げる)	广	
交	コウ まじ(わる) まじ(える) ま(じる) ま(ざる) ま(ぜる) か(う)☆ か(わす)☆	亠	
光	コウ ひか(る) ひかり	儿	

漢字	読み	部首	ページ
向	コウ む(く) む(ける) む(かう) む(こう)	口	
后	コウ	口	P.48
好	コウ この(む) す(く)	女	
考	コウ かんが(える)	耂	
行	コウ ギョウ アン★ い(く) ゆ(く) おこな(う)	行	
孝	コウ	子	P.48
効	コウ き(く)	力	
幸	コウ さいわ(い) さち☆ しあわ(せ)	干	
厚	コウ☆ あつ(い)	厂	
皇	コウ オウ	白	P.48
紅	コウ ク☆ べに くれない☆	糸	P.30
香	コウ☆ キョウ★ か かお(り) かお(る)	香	

漢字	読み	部首	ページ
候	コウ そうろう★	イ	
校	コウ	木	
耕	コウ たがや(す)	耒	
航	コウ	舟	
降	コウ お(りる) お(ろす) ふ(る)	阝	P.18
高	コウ たか(い) たか たか(まる) たか(める)	高	
康	コウ	广	
黄	コウ☆ オウ き こ☆	黄	
港	コウ みなと	氵	
鉱	コウ	金	
構	コウ かま(える) かま(う)	木	
興	コウ キョウ おこ(る)★ おこ(す)★	臼	
鋼	コウ はがね☆	金	P.48

漢字	読み	部首	ページ
講	コウ	言	
号	ゴウ	口	
合	ゴウ ガッ カッ あ(う) あ(わす) あ(わせる)	口	
告	コク つ(げる)	口	
谷	コク☆ たに	谷	
刻	コク きざ(む)	刂	P.18
国	コク くに	囗	
黒	コク くろ くろ(い)	黒	
穀	コク	禾	P.42
骨	コツ ほね	骨	P.18
今	コン キン☆ いま	人	
困	コン こま(る)	囗	P.30
根	コン ね	木	
混	コン ま(じる) ま(ざる) ま(ぜる) こ(む)	氵	
左	サ ひだり	工	

漢字	読み	部首	ページ
佐	サ	亻	
査	サ	木	
砂	サ、シャ☆、すな	石	P.30
差	サ、さ(す)	工	
座	ザ、すわ(る)☆	广	P.12
才	サイ	手	
再	サイ、サ、ふたた(び)	冂	
災	サイ、わざわ(い)☆	火	
妻	サイ、つま	女	
採	サイ、と(る)	扌	
済	サイ、す(む)、す(ます)	氵	P.12
祭	サイ、まつ(る)、まつ(り)	示	
細	サイ、ほそ(い)、ほそ(る)、こま(か)、こま(かい)	糸	
菜	サイ、な	艹	
最	サイ、もっと(も)	曰	
裁	サイ、た(つ)☆、さば(く)	衣	P.12

漢字	読み	部首	ページ
際	サイ、きわ★	阝	
埼	さい	土	
在	ザイ、あ(る)	土	
材	ザイ	木	
財	ザイ、サイ☆	貝	
罪	ザイ、つみ	罒	
崎	さき	山	
作	サク、サ、つく(る)	亻	
昨	サク	日	
策	サク	⺮	P.30
冊	サツ、サク★	冂	P.42
札	サツ、ふだ	木	
刷	サツ、す(る)	刂	
殺	サツ、サイ★、セツ★、ころ(す)	殳	
察	サツ	宀	
雑	ザツ、ゾウ	隹	

漢字	読み	部首	ページ
皿	さら	皿	
三	サン、み、み(つ)、みっ(つ)	一	
山	サン、やま	山	
参	サン、まい(る)	厶	
蚕	サン、かいこ	虫	P.42
産	サン、う(む)、う(まれる)、うぶ★	生	
散	サン、ち(る)、ち(らす)、ち(らかす)、ち(らかる)	攵	
算	サン	⺮	
酸	サン、す(い)★	酉	
賛	サン	貝	
残	ザン、のこ(る)、のこ(す)	歹	
士	シ	士	
子	シ、ス、こ	子	
支	シ、ささ(える)	支	

漢字	読み	部首	ページ
止	シ、と(まる)、と(める)	止	
氏	シ、うじ☆	氏	
仕	シ、ジ★、つか(える)	亻	
史	シ	口	
司	シ	口	
四	シ、よ、よ(つ)、よっ(つ)、よん	囗	
市	シ、いち	巾	
矢	シ★、や	矢	
死	シ、し(ぬ)	歹	
糸	シ、いと	糸	
至	シ、いた(る)	至	P.30
志	シ、こころざ(す)、こころざし	心	
私	シ、わたくし、わたし	禾	P.42
使	シ、つか(う)	亻	
始	シ、はじ(める)、はじ(まる)	女	
姉	シ☆、あね	女	

漢字	読み	部首	ページ
枝	シ★、えだ	木	
姿	シ、すがた	女	P.12
思	シ、おも(う)	心	
指	シ、ゆび、さ(す)	扌	
師	シ	巾	
紙	シ、かみ	糸	
視	シ	見	P.30
詞	シ	言	P.42
歯	シ、は	歯	
試	シ、こころ(みる)、ため(す)☆	言	
詩	シ	言	
資	シ	貝	
飼	シ、か(う)	食	
誌	シ	言	P.36
示	ジ、シ☆、しめ(す)	示	
字	ジ、あざ☆	子	
寺	ジ、てら	寸	

漢字	読み	部首	ページ
次	ジ、シ☆、つ(ぐ)、つぎ	欠	
耳	ジ☆、みみ	耳	
自	ジ、シ、みずか(ら)	自	
似	ジ☆、に(る)	亻	
児	ジ、ニ☆	儿	
事	ジ、ズ★、こと	亅	
治	ジ、チ、おさ(める)、おさ(まる)、なお(る)、なお(す)	氵	
持	ジ、も(つ)	扌	
時	ジ、とき	日	
滋	ジ☆	氵	
辞	ジ、や(める)☆	辛	
磁	ジ	石	P.42
鹿	しか、か	鹿	
式	シキ	弋	
識	シキ	言	

漢字	読み	部首	ページ
七	シチ なな なな(つ) なの	一	
失	シツ うしな(う)	大	
室	シツ むろ☆	宀	
質	シツ シチ☆ チ★	貝	
実	ジツ み みの(る)	宀	
写	シャ うつ(す) うつ(る)	冖	
社	シャ やしろ	礻	
車	シャ くるま	車	
舎	シャ	舌	
者	シャ もの	耂	
射	シャ い(る)	寸	P.30
捨	シャ す(てる)	扌	P.36
謝	シャ あやま(る)☆	言	
尺	シャク	尸	P.48
借	シャク か(りる)	亻	

漢字	読み	部首	ページ
若	ジャク☆ ニャク★ わか(い) も(しくは)★	艹	P.13
弱	ジャク よわ(い) よわ(る) よわ(まる) よわ(める)	弓	
手	シュ て た☆	手	
主	シュ ス★ ぬし・おも	丶	
守	シュ・ス まも(る) も(り)☆	宀	
取	シュ と(る)	又	
首	シュ くび	首	
酒	シュ さけ さか	酉	
種	シュ たね	禾	
受	ジュ う(ける) う(かる)	又	
授	ジュ さず(ける)☆ さず(かる)☆	扌	
樹	ジュ	木	P.25
収	シュウ おさ(める) おさ(まる)	又	P.36
州	シュウ す☆	川	
周	シュウ まわ(り)	口	

漢字	読み	部首	ページ
宗	シュウ ソウ☆	宀	P.48
拾	シュウ☆ ジュウ☆ ひろ(う)	扌	
秋	シュウ あき	禾	
修	シュウ シュ☆ おさ(める) おさ(まる)	亻	
終	シュウ お(わる) お(える)	糸	
習	シュウ なら(う)	羽	
週	シュウ	辶	
就	シュウ ジュ★ つ(く)☆ つ(ける)☆	尢	P.42
衆	シュウ シュ★	血	P.42
集	シュウ あつ(まる) あつ(める) つど(う)☆	隹	
十	ジュウ ジッ とお・と	十	
住	ジュウ す(む) す(まう)	亻	
重	ジュウ チョウ え おも(い) かさ(ねる) かさ(なる)	里	

漢字	読み	部首	ページ
従	ジュウ ショウ★ ジュ★ したが(う) したが(える)	彳	P.13
縦	ジュウ たて	糸	P.31
祝	シュク シュウ★ いわ(う)	礻	
宿	シュク やど やど(る) やど(す)	宀	
縮	シュク ちぢ(む) ちぢ(まる) ちぢ(める) ちぢ(れる) ちぢ(らす)	糸	P.31
熟	ジュク う(れる)☆	灬	P.42
出	シュツ スイ☆ で(る) だ(す)	凵	
述	ジュツ の(べる)	辶	
術	ジュツ	行	
春	シュン はる	日	
純	ジュン	糸	P.42
順	ジュン	頁	
準	ジュン	氵	

漢字	読み	部首	ページ
処	ショ	几	P.37
初	ショ はじ(め) はじ(めて) はつ うい★ そ(める)☆	刀	
所	ショ ところ	戸	
書	ショ か(く)	曰	
暑	ショ あつ(い)	日	
署	ショ	罒	P.43
諸	ショ	言	P.43
女	ジョ ニョ☆ ニョウ★ おんな め☆	女	
助	ジョ たす(ける) たす(かる) すけ☆	力	
序	ジョ	广	
除	ジョ ジ☆ のぞ(く)	阝	P.13
小	ショウ ちい(さい) こ・お	小	
少	ショウ すく(ない) すこ(し)	小	
招	ショウ まね(く)	扌	

漢字	読み	部首	ページ
承	ショウ うけたまわ(る)☆	手	P.48
松	ショウ まつ	木	
昭	ショウ	日	
将	ショウ	寸	P.31
消	ショウ き(える) け(す)	氵	
笑	ショウ☆ わら(う) え(む)☆	⺮	
唱	ショウ とな(える)	口	
商	ショウ あきな(う)☆	口	
章	ショウ	立	
勝	ショウ か(つ) まさ(る)☆	力	
焼	ショウ☆ や(く) や(ける)	火	
証	ショウ	言	
象	ショウ ゾウ	豕	
傷	ショウ きず いた(む)☆ いた(める)☆	亻	P.31
照	ショウ て(る) て(らす) て(れる)	灬	

漢字	読み	部首	ページ
障	ショウ さわ(る)★	阝	P.25
賞	ショウ	貝	
上	ジョウ ショウ★ うえ うわ かみ あ(げる) あ(がる) のぼ(る) のぼ(せる)☆ のぼ(す)☆	一	
条	ジョウ	木	
状	ジョウ	犬	
乗	ジョウ の(る) の(せる)	ノ	
城	ジョウ しろ	土	
常	ジョウ つね とこ★	巾	
情	ジョウ セイ★ なさ(け)	忄	
場	ジョウ ば	土	
蒸	ジョウ む(す)☆ む(れる)☆ む(らす)☆	艹	P.31
縄	ジョウ☆ なわ	糸	
色	ショク シキ いろ	色	

漢字	読み	部首	ページ
食	ショク ジキ★ く(う) く(らう)★ た(べる)	食	
植	ショク う(える) う(わる)	木	
織	ショク シキ★ お(る)	糸	
職	ショク	耳	
心	シン こころ	心	
申	シン☆ もう(す)	田	
臣	シン ジン	臣	
身	シン み	身	
信	シン	亻	
神	シン ジン かみ かん☆ こう★	礻	
真	シン ま	目	
針	シン はり	金	P.31
深	シン ふか(い) ふか(まる) ふか(める)	氵	
進	シン すす(む) すす(める)	辶	

漢字	読み	部首	ページ
森	シン もり	木	
新	シン あたら(しい) あら(た) にい	斤	
親	シン おや した(しい) した(しむ)	見	
人	ジン ニン ひと	人	
仁	ジン ニ☆	亻	P.48
図	ズ ト はか(る)☆	囗	
水	スイ みず	水	
垂	スイ た(れる) た(らす)	土	P.13
推	スイ お(す)☆	扌	P.19
数	スウ ス★ かず かぞ(える)	攵	
寸	スン	寸	P.43
井	セイ★ ショウ☆ い	二	
世	セイ セ よ	一	

漢字	読み	部首	ページ
正	セイ ショウ ただ(しい) ただ(す) まさ	止	
生	セイ ショウ い(きる) い(かす) い(ける) う(まれる) う(む) お(う)☆ は(える) は(やす) き なま☆	生	
成	セイ ジョウ★ な(る) な(す)	戈	
西	セイ サイ にし	西	
声	セイ ショウ★ こえ こわ☆	士	
制	セイ	刂	
性	セイ ショウ☆	忄	
青	セイ ショウ★ あお あお(い)	青	
政	セイ ショウ★ まつりごと★	攵	
星	セイ ショウ☆ ほし	日	

漢字	読み	部首	ページ
省	セイ ショウ かえり(みる)☆ はぶ(く)	目	
清	セイ ショウ★ きよ(い) きよ(まる) きよ(める)	氵	
盛	セイ☆ ジョウ★ も(る) さか(る)☆ さか(ん)☆	皿	P.13
晴	セイ は(れる) は(らす)	日	
勢	セイ いきお(い)	力	
聖	セイ	耳	P.31
誠	セイ まこと☆	言	P.48
精	セイ ショウ☆	米	
製	セイ	衣	
静	セイ ジョウ☆ しず しず(か) しず(まる) しず(める)	青	
整	セイ ととの(える) ととの(う)	攵	
税	ゼイ	禾	
夕	セキ☆ ゆう	夕	

漢字	読み	部首	ページ
石	セキ シャク コク☆ いし	石	
赤	セキ シャク★ あか あか(い) あか(らむ) あか(らめる)	赤	
昔	セキ★ シャク☆ むかし	日	
席	セキ	巾	
責	セキ せ(める)	貝	
積	セキ つ(む) つ(もる)	禾	
績	セキ	糸	
切	セツ サイ☆ き(る) き(れる)	刀	
折	セツ お(る) おり お(れる)	扌	
接	セツ つ(ぐ)★	扌	
設	セツ もう(ける)	言	
雪	セツ ゆき	雨	
節	セツ セチ★ ふし	竹	

漢字	読み	部首	ページ
説	セツ ゼイ★ と(く)	言	
舌	ゼツ☆ した	舌	P.25
絶	ゼツ た(える) た(やす) た(つ)	糸	
千	セン ち	十	
川	セン☆ かわ	川	
先	セン さき	儿	
宣	セン	宀	P.31
専	セン もっぱ(ら) ☆	寸	P.37
泉	セン いずみ	水	P.25
浅	セン☆ あさ(い)	氵	
洗	セン あら(う)	氵	P.19
染	セン☆ そ(める) そ(まる) し(みる)★ し(み)★	木	P.13
船	セン ふね ふな	舟	
戦	セン いくさ☆ たたか(う)	戈	
銭	セン ぜに☆	金	P.48
線	セン	糸	
選	セン えら(ぶ)	辶	
全	ゼン まった(く) すべ(て)	入	
前	ゼン まえ	刂	
善	ゼン よ(い)	口	P.48
然	ゼン ネン	灬	
祖	ソ	礻	
素	ソ ス☆	糸	
組	ソ く(む) くみ	糸	
早	ソウ サッ☆ はや(い) はや(まる) はや(める)	日	
争	ソウ あらそ(う)	亅	
走	ソウ はし(る)	走	
奏	ソウ かな(でる) ★	大	P.13
相	ソウ ショウ☆ あい	目	
草	ソウ くさ	艹	
送	ソウ おく(る)	辶	
倉	ソウ くら	人	
巣	ソウ★ す	⺍	
窓	ソウ まど	穴	P.13
創	ソウ つく(る)	刂	P.43
装	ソウ ショウ☆ よそお(う) ★	衣	P.13
想	ソウ ソ★	心	
層	ソウ	尸	P.31
総	ソウ	糸	
操	ソウ みさお★ あやつ(る)☆	扌	P.25
造	ゾウ つく(る)	辶	
像	ゾウ	亻	
増	ゾウ ま(す) ふ(える) ふ(やす)	土	
蔵	ゾウ くら☆	艹	P.19
臓	ゾウ	月 にくづき	P.49
束	ソク たば	木	
足	ソク あし た(りる) た(る) た(す)	足	
則	ソク	刂	
息	ソク いき	心	
速	ソク はや(い) はや(める) はや(まる) すみ(やか) ☆	辶	
側	ソク がわ	亻	
測	ソク はか(る)	氵	
族	ゾク	方	
属	ゾク	尸	
続	ゾク つづ(く) つづ(ける)	糸	
卒	ソツ	十	
率	ソツ☆ リツ ひき(いる)	玄	
存	ソン ゾン	子	P.25
村	ソン むら	木	
孫	ソン まご	子	
尊	ソン たっと(い) とうと(い) たっと(ぶ) とうと(ぶ)	寸	P.31
損	ソン そこ(なう)☆ そこ(ねる)☆	扌	
他	タ ほか	亻	
多	タ おお(い)	夕	
打	ダ う(つ)	扌	
太	タイ・タ ふと(い) ふと(る)	大	
対	タイ ツイ☆	寸	
体	タイ テイ☆ からだ	亻	
待	タイ ま(つ)	彳	
退	タイ しりぞ(く) しりぞ(ける)	辶	P.37
帯	タイ お(びる) おび	巾	
貸	タイ☆ か(す)	貝	
隊	タイ	阝	
態	タイ	心	
大	ダイ タイ おお おお(きい) おお(いに)	大	
代	ダイ タイ か(わる) か(える) よ しろ☆	亻	
台	ダイ タイ	口	
第	ダイ	⺮	
題	ダイ	頁	
宅	タク	宀	P.43
達	タツ	辶	
担	タン かつ(ぐ) にな(う) ★★	扌	P.25
単	タン	⺍	
炭	タン すみ	火	
探	タン さぐ(る)☆ さが(す)	扌	P.13
短	タン みじか(い)	矢	
誕	タン	言	P.49
団	ダン トン★	囗	
男	ダン ナン おとこ	田	
段	ダン	殳	P.37
断	ダン た(つ)☆ ことわ(る)	斤	

漢字	読み	部首	ページ
暖	ダン あたた(か) あたた(かい) あたた(まる) あたた(める)	日	P.19
談	ダン	言	
地	チ ジ	土	
池	チ いけ	氵	
知	チ し(る)	矢	
値	チ ね あたい☆	亻	P.43
置	チ お(く)	罒	
竹	チク たけ	竹	
築	チク きず(く)	⺮	
茶	チャ サ☆	艹	
着	チャク ジャク★ き(る) き(せる) つ(く) つ(ける)	羊	
中	チュウ ジュウ なか	丨	
仲	チュウ☆ なか	亻	
虫	チュウ むし	虫	
沖	チュウ★ おき	氵	

漢字	読み	部首	ページ
宙	チュウ	宀	P.31
忠	チュウ	心	P.37
注	チュウ そそ(ぐ)	氵	
昼	チュウ ひる	日	
柱	チュウ はしら	木	
著	チョ あらわ(す)☆ いちじる(しい)☆	艹	P.37
貯	チョ	貝	
丁	チョウ テイ☆	一	
庁	チョウ	广	P.43
兆	チョウ きざ(す)★ きざ(し)★	儿	
町	チョウ まち	田	
長	チョウ なが(い)	長	
帳	チョウ	巾	
張	チョウ は(る)	弓	
頂	チョウ いただ(く) いただき	頁	P.19
鳥	チョウ とり	鳥	

漢字	読み	部首	ページ
朝	チョウ あさ	月（つき）	
腸	チョウ	月（にくづき）	P.43
潮	チョウ しお	氵	P.49
調	チョウ しら(べる) ととの(う)☆ ととの(える)☆	言	
直	チョク ジキ ただ(ちに) なお(す) なお(る)	目	
賃	チン	貝	P.37
追	ツイ お(う)	辶	
通	ツウ ツ★ とお(る) とお(す) かよ(う)	辶	
痛	ツウ いた(い) いた(む) いた(める)	疒	P.13
低	テイ ひく(い) ひく(める) ひく(まる)	亻	
弟	テイ☆ ダイ デ☆ おとうと	弓	

漢字	読み	部首	ページ
定	テイ ジョウ さだ(める) さだ(まる) さだ(か)★	宀	
底	テイ そこ	广	
庭	テイ にわ	广	
停	テイ	亻	
提	テイ さ(げる)☆	扌	
程	テイ ほど☆	禾	
的	テキ まと	白	
笛	テキ ふえ	⺮	
適	テキ	辶	
敵	テキ かたき☆	攵	P.31
鉄	テツ	釒	
天	テン あめ★ あま	大	
典	テン	八	
店	テン みせ	广	
点	テン	灬	
展	テン	尸	P.19

漢字	読み	部首	ページ
転	テン ころ(がる) ころ(げる) ころ(がす) ころ(ぶ)	車	
田	デン た	田	
伝	デン つた(わる) つた(える) つた(う)	亻	
電	デン	⻗	
徒	ト	彳	
都	ト ツ みやこ	阝	
土	ド ト つち	土	
努	ド つと(める)	力	
度	ド ト★ タク☆ たび☆	广	
刀	トウ かたな	刀	
冬	トウ ふゆ	冫	
灯	トウ ひ★	火	
当	トウ あ(たる) あ(てる)	⺌	
投	トウ な(げる)	扌	

漢字	読み	部首	ページ
豆	トウ ズ まめ	豆	
東	トウ ひがし	木	
島	トウ しま	山	
討	トウ う(つ)☆	言	P.37
党	トウ	儿	P.49
湯	トウ ゆ	氵	
登	トウ ト のぼ(る)	癶	
答	トウ こた(える) こた(え)	⺮	
等	トウ ひと(しい)	⺮	
統	トウ す(べる)★	糸	
糖	トウ	米	P.49
頭	トウ ズ ト★ あたま かしら☆	頁	
同	ドウ おな(じ)	口	
動	ドウ うご(く) うご(かす)	力	
堂	ドウ	土	
童	ドウ わらべ☆	立	

漢字	読み	部首	ページ
道	ドウ トウ★ みち	辶	
働	ドウ はたら(く)	イ	
銅	ドウ	金	
導	ドウ みちび(く)	寸	
特	トク	牛	
得	トク え(る) う(る)☆	彳	
徳	トク	彳	
毒	ドク	母	
独	ドク ひと(り)	犭	
読	ドク・トク トウ よ(む)	言	
栃	とち	木	
届	とど(ける) とど(く)	尸	P.19
奈	ナ	大	
内	ナイ ダイ☆ うち	入	
梨	なし	木	
南	ナン ナ★ みなみ	十	
難	ナン かた(い)★ むずか(しい)	隹	P.37

漢字	読み	部首	ページ
二	ニ ふた ふた(つ)	二	
肉	ニク	肉	
日	ニチ・ジツ ひ・か	日	
入	ニュウ い(る) い(れる) はい(る)	入	
乳	ニュウ ちち ち☆	し	P.19
任	ニン まか(せる) まか(す)	イ	
認	ニン☆ みと(める)	言	P.25
熱	ネツ あつ(い)	灬	
年	ネン とし	干	
念	ネン	心	
燃	ネン も(える) も(やす) も(す)	火	
納	ノウ ナッ☆ ナ★ ナン★ トウ☆ おさ(める) おさ(まる)	糸	P.43
能	ノウ	肉	
脳	ノウ	月(にくづき)	P.37

漢字	読み	部首	ページ
農	ノウ	辰	
波	ハ なみ	氵	
派	ハ	氵	P.49
破	ハ やぶ(る) やぶ(れる)	石	
馬	バ うま ま	馬	
拝	ハイ おが(む)	扌	P.19
背	ハイ せ せい そむ(く)☆ そむ(ける)☆	肉	P.25
肺	ハイ	月(にくづき)	P.49
俳	ハイ	イ	P.19
配	ハイ くば(る)	酉	
敗	ハイ やぶ(れる)	攵	
売	バイ う(る) う(れる)	士	
倍	バイ	イ	
梅	バイ うめ	木	
買	バイ か(う)	貝	

漢字	読み	部首	ページ
白	ハク ビャク★ しろ しら しろ(い)	白	
博	ハク バク★	十	
麦	バク☆ むぎ	麦	
箱	はこ	竹	
畑	はた はたけ	田	
八	ハチ や や(つ) やっ(つ) よう	八	
発	ハツ ホッ☆	癶	
反	ハン ホン★ タン☆ そ(る) そ(らす)	又	
半	ハン なか(ば)	十	
犯	ハン おか(す)☆	犭	
判	ハン バン	刂	
坂	ハン★ さか	土	
阪	ハン☆	阝	
板	ハン バン いた	木	

漢字	読み	部首	ページ
版	ハン	片	
班	ハン	王	P.49
飯	ハン めし	食	
晩	バン	日	P.43
番	バン	田	
比	ヒ くら(べる)	比	
皮	ヒ かわ	皮	
否	ヒ いな★	口	P.49
批	ヒ	扌	P.37
肥	ヒ こ(える) こえ こ(やす) こ(やし)	月(にくづき)	
非	ヒ	非	
飛	ヒ と(ぶ) と(ばす)	飛	
秘	ヒ ひ(める)☆	禾	P.43
悲	ヒ かな(しい) かな(しむ)	心	
費	ヒ つい(やす)☆ つい(える)☆	貝	
美	ビ うつく(しい)	羊	

漢字	読み	部首	ページ
備	ビ そな(える) そな(わる)	イ	
鼻	ビ☆ はな	鼻	
必	ヒツ かなら(ず)	心	
筆	ヒツ ふで	竹	
百	ヒャク	白	
氷	ヒョウ こおり ひ★	水	
表	ヒョウ おもて あらわ(す) あらわ(れる)	衣	
俵	ヒョウ たわら	イ	P.31
票	ヒョウ	示	
評	ヒョウ	言	
標	ヒョウ	木	
秒	ビョウ	禾	
病	ビョウ ヘイ★ や(む)☆ やまい	疒	
品	ヒン しな	口	
貧	ヒン☆ ビン まず(しい)	貝	

漢字	読み	部首	ページ
不	フ ブ	一	
夫	フ フウ☆ おっと	大	
父	フ ちち	父	
付	フ つ(ける) つ(く)	亻	
布	フ ぬの	巾	
府	フ	广	
阜	フ	阜	
負	フ ま(ける) ま(かす) お(う)	貝	
婦	フ	女	
富	フ フウ★ と(む) とみ	宀	
武	ブ ム	止	
部	ブ	阝	
風	フウ フ★ かぜ・かざ	風	
服	フク	月 つきへん	
副	フク	刂	

漢字	読み	部首	ページ
復	フク	彳	
福	フク	礻	
腹	フク はら	月 にくづき	P.31
複	フク	衤	
仏	ブツ ほとけ	亻	
物	ブツ モツ もの	牛	
粉	フン こ こな	米	
奮	フン ふる(う)	大	P.13
分	ブン フン ブ わ(ける) わ(かれる) わ(かる) わ(かつ)	刀	
文	ブン モン ふみ☆	文	
聞	ブン モン★ き(く) き(こえる)	耳	
平	ヘイ ビョウ たい(ら) ひら	干	
兵	ヘイ ヒョウ	八	

漢字	読み	部首	ページ
並	ヘイ☆ なみ なら(べる) なら(ぶ) なら(びに)	一	P.25
陛	ヘイ	阝	P.49
閉	ヘイ と(じる) と(ざす)☆ し(める) し(まる)	門 もんがまえ	P.25
米	ベイ マイ こめ	米	
別	ベツ わか(れる)	刂	
片	ヘン☆ かた	片	P.43
辺	ヘン あた(り) べ	辶	
返	ヘン かえ(す) かえ(る)	辶	
変	ヘン か(わる) か(える)	夂	
編	ヘン あ(む)	糸	
弁	ベン	廾	
便	ベン ビン たよ(り)	亻	
勉	ベン	力	
歩	ホ ブ☆ フ★ ある(く) あゆ(む)	止	

漢字	読み	部首	ページ
保	ホ たも(つ)	亻	
補	ホ おぎな(う)	衤	P.31
母	ボ はは	母	
墓	ボ はか	土	
暮	ボ☆ く(れる) く(らす)	日	P.19
方	ホウ かた	方	
包	ホウ つつ(む)	勹	
宝	ホウ たから	宀	P.13
放	ホウ はな(す) はな(つ) はな(れる) ほう(る)	攵	
法	ホウ ハッ★ ホッ★	氵	
訪	ホウ おとず(れる)☆ たず(ねる)	言	P.19
報	ホウ むく(いる)☆	土	
豊	ホウ ゆた(か)	豆	
亡	ボウ モウ★ な(い)★	亠	P.49
忘	ボウ☆ わす(れる)	心	P.25

漢字	読み	部首	ページ
防	ボウ ふせ(ぐ)	阝	
望	ボウ モウ☆ のぞ(む)	月 つき	
棒	ボウ	木	P.25
貿	ボウ	貝	
暴	ボウ バク☆ あば(く)★ あば(れる)	日	
北	ホク きた	匕	
木	ボク・モク き・こ	木	
牧	ボク まき☆	牛	
本	ホン もと	木	
毎	マイ	毋	
妹	マイ☆ いもうと	女	
枚	マイ	木	P.43
幕	マク バク	巾	P.37
末	マツ バツ★ すえ	木	
万	マン バン☆	一	
満	マン み(ちる) み(たす)	氵	

漢字	読み	部首	ページ
未	ミ	木	
味	ミ あじ あじ(わう)	口	
密	ミツ	宀	P.43
脈	ミャク	月 にくづき	
民	ミン たみ☆	氏	
務	ム つと(める) つと(まる)	力	
無	ム ブ な(い)	灬	
夢	ム ゆめ	夕	
名	メイ ミョウ な	口	
命	メイ ミョウ☆ いのち	口	
明	メイ ミョウ あ(かり) あか(るい) あか(るむ) あか(らむ) あき(らか) あ(ける) あ(く) あ(くる) あ(かす)	日	
迷	メイ☆ まよ(う)	辶	
盟	メイ	皿	P.49
鳴	メイ な(く) な(る) な(らす)	鳥	

漢字	読み	部首	ページ
面	メン、おも☆、おもて☆、つら★	面	
綿	メン、わた	糸	
模	モ、ボ	木	P.13
毛	モウ、け	毛	
目	モク、ボク☆、め、ま★	目	
門	モン、かど☆	門（もん）	
問	モン、と(う)、と(い)、とん	口	
夜	ヤ、よ、よる	夕	
野	ヤ、の	里	
役	ヤク、エキ☆	彳	
約	ヤク	糸	
訳	ヤク、わけ	言	P.19
薬	ヤク、くすり	艹	
由	ユ・ユウ、ユイ★、よし★	田	

漢字	読み	部首	ページ
油	ユ、あぶら	氵	
輸	ユ	車	
友	ユウ、とも	又	
有	ユウ、ウ☆、あ(る)	月（つき）	
勇	ユウ、いさ(む)	力	
郵	ユウ	阝	P.43
遊	ユウ、ユ★、あそ(ぶ)	辶	
優	ユウ、やさ(しい)☆、すぐ(れる)☆	亻	P.31
予	ヨ	亅	
余	ヨ、あま(る)、あま(す)	人	
預	ヨ、あず(ける)、あず(かる)	頁	P.25
幼	ヨウ、おさな(い)	幺	P.19
用	ヨウ、もち(いる)	用	
羊	ヨウ、ひつじ	羊	
洋	ヨウ	氵	
要	ヨウ、かなめ、い(る)☆	覀	
容	ヨウ	宀	

漢字	読み	部首	ページ
葉	ヨウ、は	艹	
陽	ヨウ	阝	
様	ヨウ、さま	木	
養	ヨウ、やしな(う)	食	
曜	ヨウ	日	
浴	ヨク、あ(びる)、あ(びせる)	氵	
欲	ヨク、ほっ(する)★、ほ(しい)☆	欠	P.49
翌	ヨク	羽	P.49
来	ライ、く(る)、きた(る)☆、きた(す)☆	木	
落	ラク、お(ちる)、お(とす)	艹	
乱	ラン、みだ(れる)、みだ(す)	乚	P.25
卵	ラン☆、たまご	卩	P.37
覧	ラン	見	P.37
利	リ、き(く)★	刂	
里	リ、さと	里	
理	リ	王	

漢字	読み	部首	ページ
裏	リ☆、うら	衣	P.37
陸	リク	阝	
立	リツ、リュウ★、た(つ)、た(てる)	立	
律	リツ、リチ★	彳	P.37
略	リャク	田	
流	リュウ、ル★、なが(れる)、なが(す)	氵	
留	リュウ、ル、と(める)、と(まる)	田	
旅	リョ、たび	方	
両	リョウ	一	
良	リョウ、よ(い)	艮	
料	リョウ	斗	
量	リョウ、はか(る)	里	
領	リョウ	頁	
力	リョク、リキ、ちから	力	

漢字	読み	部首	ページ
緑	リョク、ロク★、みどり	糸	
林	リン、はやし	木	
輪	リン、わ	車	
臨	リン、のぞ(む)☆	臣	P.49
類	ルイ、たぐ(い)	頁	
令	レイ	人	
礼	レイ、ライ★	礻	
冷	レイ、つめ(たい)、ひ(える)、ひ(や)、ひ(やす)、ひ(やかす)、さ(める)、さ(ます)	冫	
例	レイ、たと(える)	亻	
歴	レキ	止	
列	レツ	刂	
連	レン、つら(なる)、つら(ねる)、つ(れる)	辶	
練	レン、ね(る)	糸	
路	ロ、じ	足	

漢字	読み	部首	ページ
老	ロウ、お(いる)、ふ(ける)★	耂	
労	ロウ	力	
朗	ロウ、ほが(らか)☆	月（つき）	P.43
六	ロク、む、む(つ)、むっ(つ)、むい	八	
録	ロク	金	
論	ロン	言	P.25
和	ワ、オ★、やわ(らぐ)☆、やわ(らげる)☆、なご(む)☆、なご(やか)☆	口	
話	ワ、はな(す)、はなし	言	

第1回 模擬試験問題 解答

別冊 2〜7ページ

1

1 こくもつ　2 とうと　3 いただき　4 ちょうしゃ　5 はげ　6 たてが　7 す　8 したが　9 きんりょく　10 さが　11 きりつ　12 がいろじゅ　13 あやま　14 かわぞ　15 おさ　16 しゅうきょう　17 しゃそう　18 かぶ　19 こうてつ　20 しょうじ

2

1 か　2 エ　3 き　4 ウ　5 く　6 オ　7 け　8 ア　9 お　10 カ

3

1 3　2 7　3 4　4 15　5 2　6 14　7 1　8 4　9 5　10 16

4

1 染まる　2 拝む　3 厳しい　4 幼い　5 垂らす

5

1 イ　2 ア　3 イ　4 ウ　5 ア　6 エ　7 ウ　8 ウ　9 イ　10 ア

6

1 存　2 欲　3 揮　4 転　5 混　6 担　7 完　8 創　9 郵　10 延

7

対義語

1 裏　2 疑　3 難　4 暖　5 就

類義語

6 優　7 展　8 寸　9 樹　10 著

8

1 カ・ウ　2 キ・オ　3 エ・ア　4 ケ・ク　5 イ・コ

9

1 ア　2 イ　3 エ　4 ア　5 エ　6 ア　7 ア　8 イ　9 イ　10 エ

10

1 警　2 経　3 簡　4 慣　5 磁　6 辞　7 増　8 蔵　9 支　10 視

11

1 暮　2 朗読　3 除　4 勤　5 姿勢　6 訳　7 演奏　8 割　9 捨　10 認　11 射　12 拡張　13 拝　14 宇宙　15 班　16 密度　17 体操　18 映　19 腹　20 危

第2回 模擬試験問題 解答

別冊 8〜13ページ

1

1 わけ
2 じゅく
3 かんけつ
4 きざ
5 ちょめい
6 ちゅうふく
7 ふ
8 みと
9 まいすう
10 きぬ
11 ほうりつ
12 も
13 わか
14 く
15 まど
16 た
17 まく
18 ま
19 ひひょう
20 あな

2

1 け
2 カ
3 え
4 イ
5 か
6 オ
7 き
8 ケ
9 あ
10 エ

3

1 5
2 6
3 6
4 10
5 5
6 7
7 7
8 13
9 8
10 10

4

1 済ます
2 捨てる
3 預ける
4 閉じる
5 映る

5

1 ウ
2 イ
3 ウ
4 エ
5 イ
6 ア
7 イ
8 ウ
9 エ
10 イ

6

1 策
2 論
3 誌
4 吸
5 射
6 宙
7 臓
8 疑
9 遺
10 模

7

対義語
1 縮
2 縦
3 宅
4 段
5 痛

類義語
6 賃
7 域
8 告
9 将
10 存

8

1 ウ・カ
2 オ・イ
3 コ・ア
4 ケ・キ
5 ク・エ

9

1 ウ
2 ア
3 イ
4 イ
5 エ
6 イ
7 ア
8 イ
9 ウ
10 イ

10

1 再
2 裁
3 装
4 操
5 覚
6 閣
7 頂
8 庁
9 衆
10 就

11

1 沿
2 染
3 優勝
4 故障
5 展覧
6 姿
7 忘
8 届
9 株
10 興奮
11 貴重
12 幼
13 乱
14 牛乳
15 厳
16 解除
17 異
18 砂糖
19 並
20 棒

第3回 模擬試験問題 解答

別冊 14〜19ページ

1

1 ふる
2 かいこ
3 ひきょう
4 たず
5 いた
6 そうりつ
7 せいか
8 じょうき
9 われ
10 ないかく
11 きょうり
12 のうぜい
13 じぞう
14 えんどう
15 ほ
16 きび
17 めんみつ
18 すがた
19 かし
20 つくえ

2

1 い
2 コ
3 け
4 キ
5 お
6 ケ
7 き
8 エ
9 え
10 ウ

3

1 4
2 7
3 3
4 10
5 10
6 12
7 3
8 10
9 8
10 9

4

1 従う
2 勤めて
3 乱れる
4 疑い
5 並べる

5

1 ア
2 ウ
3 イ
4 エ
5 ウ
6 イ
7 ア
8 ウ
9 エ
10 エ

6

1 域
2 衆
3 革
4 磁
5 株
6 操
7 奏
8 補
9 異
10 源

7

対義語

1 模
2 垂
3 臨
4 派
5 片

類義語

6 宣
7 末
8 担
9 己
10 翌

8

1 ケ・イ
2 エ・キ
3 カ・ア
4 コ・ウ
5 オ・ク

9

1 イ
2 ウ
3 ア
4 エ
5 イ
6 ア
7 エ
8 ア
9 エ
10 ウ

10

1 映
2 写
3 件
4 券
5 障
6 傷
7 刻
8 告
9 値
10 根

11

1 盛
2 俳句
3 胸
4 骨
5 劇
6 窓
7 高層
8 就任
9 洗
10 巻
11 難
12 泉
13 郵便
14 座席
15 対策
16 推進
17 簡潔
18 専門
19 看護
20 善

■お問い合わせについて

- 本書の内容に関するお問い合わせは、**書名・発行年月日を必ず明記**のうえ、文書・ＦＡＸ・メールにて下記にご連絡ください。電話によるお問い合わせは、受け付けておりません。
- 本書の内容を超える質問にはお答えできませんので、あらかじめご了承ください。

本書の正誤情報などについてはこちらからご確認ください。

(https://www.shin-sei.co.jp/np/seigo.html)

- お問い合わせいただく前に上記アドレスのページにて、すでに掲載されている内容かどうかをご確認ください。
- 本書に関する質問受付は、2026年２月末までとさせていただきます。

●文　書：〒110-0016 東京都台東区台東2-24-10（株)新星出版社 読者質問係
●ＦＡＸ：03-3831-0902
●メール：https://www.shin-sei.co.jp/np/contact.html

■協会のお問い合わせ窓口

最新の情報は**公益財団法人日本漢字能力検定協会**にご確認ください。

●電話でのお問い合わせ：**0120-509-315（無料）**
●HPアドレス：**https://www.kanken.or.jp/kanken/contact/**

頻出度順 漢字検定５級 合格！ 問題集

2024年２月25日　初版発行

編　者　受験研究会
発行者　富永靖弘
印刷所　株式会社高山

発行所　東京都台東区台東２丁目24　株式会社 新星出版社
〒110-0016 ☎03(3831)0743

2024年度版

別冊

頻出度順

漢字検定5級 合格！問題集

この別冊は本冊から取り外して使用することができます

第1回模擬（ぎ）試験問題 …………………… 2
（解答は本冊 141 ページ）

第2回模擬試験問題 …………………… 8
（解答は本冊 142 ページ）

第3回模擬試験問題 …………………… 14
（解答は本冊 143 ページ）

本試験の答案用紙のサンプル………… 20

本冊の解答…………………………… 22

新星出版社

第1回 模擬試験問題

試験時間 60分
合格ライン 140点
得点 /200
月 日

1 次の――線の**漢字の読み**を**ひらがな**で書きなさい。 /20 (1×20)

1 大量の穀物をトラックで運ぶ。（　　）
2 ペットから命の尊さを学ぶ。（　　）
3 山の頂からの景色を絵にかく。（　　）
4 古い庁舎が取りこわされる。（　　）
5 風で木の枝が激しくゆれた。（　　）
6 縦書きのノートを買う。（　　）
7 朝の空気を胸いっぱいに吸いこむ。（　　）
8 先生の指示に従って行動する。（　　）
9 筋力トレーニングにはげむ。（　　）

2 次の漢字の**部首**と**部首名**を後の□の中から選び、**記号**で答えなさい。 /10 (1×10)

〈例〉返　部首（う）　部首名（ク）

	部首	部首名
庁	1（　）	2（　）
届	3（　）	4（　）
聖	5（　）	6（　）
盟	7（　）	8（　）
署	9（　）	10（　）

あ 阝　い 日　う 辶　え 𡿨　お 罒
か 广　き 尸　く 耳　け 皿　こ 艹

10 みんなが写っている写真を探す。（　　）
11 集団生活の規律を守る。（　　）
12 街路樹が青々としげっている。（　　）
13 かぎを誤って落としてしまった。（　　）
14 川沿いの道を散歩する。（　　）
15 練習を続けてよい成績を収めた。（　　）
16 さまざまな宗教があることを学ぶ。（　　）
17 車窓からの景色を楽しむ。（　　）
18 木の切り株にすわって休んだ。（　　）
19 鋼鉄のとびらが重々しく開く。（　　）
20 秋の夜や障子の穴が笛をふく（　　）

ア さら　イ おおざと　ウ かばね しかばね　エ まだれ
オ みみ　カ あみがしら あみめ よこめ　キ くさかんむり
ク しんにょう しんにゅう　ケ ひへん　コ おいかんむり おいがしら

3 次の漢字の**太い画**のところは**筆順の何画目**か、また**総画数は何画**か、**算用数字**（1、2、3…）で答えなさい。 /10 (1×10)

〈例〉 定　何画目（5）　総画数（8）

	何画目	総画数
我	1（　）	2（　）
遺	3（　）	4（　）
閣	5（　）	6（　）
片	7（　）	8（　）
憲	9（　）	10（　）

4 次の――線の**カタカナ**の部分を**漢字一字**と**送りがな（ひらがな）**になおしなさい。

10 (2×5)

〈例〉クラブのきまりを**サダメル**。 定める

1 夕日に**ソマル**美しい空をながめた。（　）

2 手を合わせて仏像を**オガム**。（　）

3 九月になっても暑さが**キビシイ**。（　）

4 **オサナイ**子どもが歩いている。（　）

5 焼き魚にしょうゆを**タラス**。（　）

5 漢字の読みには**音**と**訓**があります。次の**熟語の読み**は□の中のどの組み合わせになっていますか。ア～エの**記号**で答えなさい。

20 (2×10)

ア 音と音	イ 音と訓
ウ 訓と訓	エ 訓と音

1 新顔（　）

6 布地（　）

7 後の□の中のひらがなを漢字になおして、**対義語**（意味が反対や対になることば）と、**類義語**（意味がよくにたことば）を書きなさい。□の中のひらがなは**一度だけ**使い、**漢字一字**を書きなさい。

20 (2×10)

対義語

表側―（1）側（　）

応答―質（2）（　）

容易―困（3）（　）

寒色―（4）色（　）

退職―（5）職（　）

類義語

役者―俳（6）（　）

向上―発（7）（　）

直前―（8）前（　）

2 温泉（　　）
3 格安（　　）
4 砂山（　　）
5 起源（　　）

7 傷口（　　）
8 口紅（　　）
9 重箱（　　）
10 解除（　　）

6 次の**カタカナ**を**漢字**になおし、**一字だけ**書きなさい。

/20 (2×10)

1 危急**ソン**亡（　　）
2 私利私**ヨク**（　　）
3 実力発**キ**（　　）
4 心機一**テン**（　　）
5 玉石**コン**交（　　）

6 自己負**タン**（　　）
7 **カン**全無欠（　　）
8 **ソウ**立記念（　　）
9 **ユウ**便配達（　　）
10 雨天順**エン**（　　）

大木—大（9）（　　）
作者—（10）者（　　）

うら・ぎ・じゅ・しゅう・すん
だん・ちょ・てん・なん・ゆう

8 後の□の中から漢字を選んで、次の意味にあてはまる**熟語**を作りなさい。答えは**記号**で書きなさい。

/10 (2×5)

〈例〉本をよむこと。（読書）　シ｜サ

1 病人などの手当てや世話をすること。
2 卒業した学校がおなじであること。
3 深く調べてよく考えること。
4 物事をおそれない心。
5 古いやり方などを新しくすること。

ア 討	イ 改	ウ 護	エ 検	オ 窓	カ 看
キ 同	ク 胸	ケ 度	コ 革	サ 書	シ 読

9

漢字を二字組み合わせた熟語では、二つの漢字の間に意味の上で、次のような関係があります。

/20 (2×10)

ア　反対や対になる意味の字を組み合わせたもの。（例…**強弱**）

イ　同じような意味の字を組み合わせたもの。（例…**進行**）

ウ　上の字が下の字の意味を説明（修飾）しているもの。（例…**国旗**）

エ　下の字から上の字へ返って読むと意味がよくわかるもの。（例…**消火**）

次の**熟語**は、右のア〜エのどれにあたるか、**記号**で答えなさい。

1 干満（　）
2 自己（　）
3 敬老（　）
4 因果（　）
6 発着（　）
7 可否（　）
8 肥満（　）
9 郷里（　）

11

次の――線の**カタカナ**を**漢字**になおしなさい。

/40 (2×20)

1 日が**ク**れないうちに家に帰った。（　）
2 好きな詩を**ロウドク**する。（　）
3 魚の骨を一本一本取り**ノゾ**いた。（　）
4 姉は会社に**ツト**めている。（　）
5 正しい**シセイ**を身につける。（　）
6 会が中止になった**ワケ**を説明する。（　）
7 バイオリンの**エンソウ**をきいた。（　）
8 まきを**ワ**って火にくべる。（　）
9 空きかんをごみ箱に**ス**てる。（　）
10 リーダーとして**ミト**められる。（　）

5 養蚕（　　）

10 挙手（　　）

10

次の——線のカタカナを漢字になおしなさい。

/20 (2×10)

1 **ケイ**察官が交番にいる。（　　）
2 おばは会社を**ケイ**営している。（　　）
3 物語のあらすじを**カン**潔に話す。（　　）
4 ジョギングを習**カン**にする。（　　）
5 **ジ**石を使った実験をする。（　　）
6 卒業生に送**ジ**をおくる。（　　）
7 大都市の人口が**ゾウ**加している。（　　）
8 県立図書館の**ゾウ**書数を調べる。（　　）
9 広大な領地を**シ**配する。（　　）
10 仕事のストレスは軽**シ**できない。（　　）

11 馬に乗ったまま的を弓で**イ**る。（　　）
12 道路の**カクチョウ**工事が始まる。（　　）
13 手を合わせて仏像を**オガ**む。（　　）
14 **ウチュウ**の研究が進められる。（　　）
15 遠足では**ハン**ごとに行動する。（　　）
16 百年前と人口**ミツド**をくらべる。（　　）
17 **タイソウ**選手にあこがれる。（　　）
18 三日月が水面に**ウツ**っている。（　　）
19 ご飯の前なので**ハラ**が減っている。（　　）
20 **アブ**ない橋も一度はわたれ（　　）

第2回 模擬試験問題

試験時間 60分

合格ライン 140点

得点 /200 月 日

1 次の——線の**漢字の読み**を**ひらがな**で書きなさい。

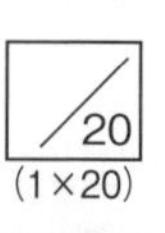

/20 (1×20)

1 兄とけんかした訳を親に話す。（　　）
2 庭の木に実ったかきが赤く熟す。（　　）
3 発表する内容を簡潔にまとめる。（　　）
4 そばに刻みのりをふりかける。（　　）
5 著名な芸術家の作品をかざる。（　　）
6 山の中腹に大きな木がある。（　　）
7 昨日から雨が降り続いている。（　　）
8 音楽家としての才能が認められる。（　　）
9 お皿の枚数を確かめる。（　　）

2 次の漢字の**部首**と**部首名**を後の□の中から選び、**記号**で答えなさい。

/10 (1×10)

〈例〉返　部首（う）　部首名（ク）

	部首	部首名
冊	（1）	（2）
割	（3）	（4）
陛	（5）	（6）
枚	（7）	（8）
座	（9）	（10）

あ	广	い	土	う	辶	え	刂	お	艹
か	阝	き	木	く	口	け	冂	こ	弋

10 絹のスカーフを身につける。（　　）
11 法律は国会で定められている。（　　）
12 切った果物を大きな皿に盛る。（　　）
13 若い先生がクラスを受けもつ。（　　）
14 野球の練習に明け暮れる。（　　）
15 窓を開けて空気を入れかえる。（　　）
16 ボートの上からつり糸を垂らす。（　　）
17 ステージの幕を開ける。（　　）
18 巻いていた包帯が外れる。（　　）
19 作文を先生に批評してもらう。（　　）
20 ふきの葉にぽんと穴あく暑さかな（　　）

ア つち　イ りっとう　ウ くち　エ まだれ
オ こざとへん　カ けいがまえ どうがまえ まきがまえ　キ しきがまえ
ク しんにょう しんにゅう　ケ きへん　コ くさかんむり

3

次の漢字の**太い画**のところは**筆順の何画目**か、また**総画数は何画**か、**算用数字**（1、2、3…）で答えなさい。

／10（1×10）

〈例〉定　何画目（5）　総画数（8）

	何画目	総画数
灰	1（　）	2（　）
班	3（　）	4（　）
系	5（　）	6（　）
蒸	7（　）	8（　）
純	9（　）	10（　）

4

次の——線のカタカナの部分を**漢字一字**と**送りがな（ひらがな）**になおしなさい。

/10 (2×5)

〈例〉クラブのきまりを**サダメル**。（定める）

1 遊びに行く前に用事を**スマス**。（　　）
2 駅のごみ箱にごみを**ステル**。（　　）
3 ロッカーに荷物を**アズケル**。（　　）
4 読み終わった本をそっと**トジル**。（　　）
5 目に**ウツル**景色を覚えておく。（　　）

5

漢字の読みには**音**と**訓**があります。次の**熟語の読み**は□の中のどの組み合わせになっていますか。ア〜エの**記号**で答えなさい。

/20 (2×10)

ア 音と音	イ 音と訓
ウ 訓と訓	エ 訓と音

1 潮風（　　）
6 誤答（　　）

7

後の□の中のひらがなを漢字になおして、**対義語**（意味が反対や対になることば）と、**類義語**（意味がよくにたことば）を書きなさい。□の中のひらがなは**一度だけ**使い、**漢字一字**を書きなさい。

/20 (2×10)

対義語

延長—短（1）（　　）
横断—（2）断（　　）
外出—帰（3）（　　）
目的—手（4）（　　）
快楽—苦（5）（　　）

類義語

給料—（6）金（　　）
地区—地（7）（　　）
助言—忠（8）（　　）

2 茶畑（　　）
3 片道（　　）
4 係長（　　）
5 仕事（　　）
7 味方（　　）
8 割引（　　）
9 絹地（　　）
10 派手（　　）

6

次の**カタカナ**を**漢字**になおし、**一字だけ**書きなさい。

／20（2×10）

1 災害対**サク**（　　）
2 世**ロン**調査（　　）
3 学級日**シ**（　　）
4 人工呼**キュウ**（　　）
5 直**シャ**日光（　　）
6 宇**チュウ**旅行（　　）
7 **ゾウ**器移植（　　）
8 半信半**ギ**（　　）
9 世界**イ**産（　　）
10 水玉**モ**様（　　）

未来―（9）来（　　）
保管―保（10）（　　）

いき・こく・じゅう・しゅく・しょう
ぞん・たく・だん・ちん・つう

8

後の□の中から漢字を選んで、次の意味にあてはまる**熟語**を作りなさい。答えは**記号**で書きなさい。

／10（2×5）

〈例〉本をよむこと。（読書）　シ｜サ

1 生まれ育ったふるさと。
2 液体が気体になること。
3 ほしいと思う気持ち。
4 いつもよりもいそぐこと。
5 心が明るくなるような知らせ。

ア 望　イ 発　ウ 郷　エ 報　オ 蒸　カ 里
キ 急　ク 朗　ケ 至　コ 欲　サ 書　シ 読

9

漢字を二字組み合わせた熟語では、二つの漢字の間に意味の上で、次のような関係があります。

/20 (2×10)

ア　反対や対（つい）になる意味の字を組み合わせたもの。（例…**強弱**）

イ　同じような意味の字を組み合わせたもの。（例…**進行**）

ウ　上の字が下の字の意味を説明（修飾（しょく））しているもの。（例…**国旗**）

エ　下の字から上の字へ返って読むと意味がよくわかるもの。（例…**消火**）

次の**熟語**は、右のア～エのどれにあたるか、**記号**で答えなさい。

1　寸前（　　）

2　公私（　　）

3　存在（　　）

4　死亡（　　）

6　樹木（　　）

7　朝晩（　　）

8　永久（　　）

9　米俵（　　）

11

次の――線の**カタカナ**を**漢字**になおしなさい。

/40 (2×20)

1　川に**ソ**った道を自転車で走る。（　　）

2　着物を赤く**ソ**める。（　　）

3　**ユウショウ**をかけて対戦する。（　　）

4　テレビが**コショウ**した。（　　）

5　日本画の**テンラン**会に行く。（　　）

6　野生のライオンが**スガタ**を現す。（　　）

7　かさを持っていくのを**ワス**れた。（　　）

8　転校した友達から手紙が**トド**いた。（　　）

9　木の切り**カブ**にすわる。（　　）

10　**コウフン**して脈が速くなる。（　　）

5 負傷（　　）

10 困難（　　）

10

次の――線のカタカナを漢字になおしなさい。

/20 (2×10)

1 事件の**サイ**調査が行われた。（　　）
2 **サイ**判が行われる。（　　）
3 プレゼントを包**ソウ**する。（　　）
4 クレーンの**ソウ**作を学ぶ。（　　）
5 社会人としての自**カク**を持つ。（　　）
6 天守**カク**の修ぜん工事が始まる。（　　）
7 人気絶**チョウ**の作家が引退する。（　　）
8 県**チョウ**所在地を覚える。（　　）
9 競技場に観**シュウ**がつめかけた。（　　）
10 兄は東京の会社に**シュウ**職した。（　　）

11 旅行先で**キチョウ**な経験をする。（　　）
12 **オサナ**い子が笑っている。（　　）
13 輪を**ミダ**す行動を注意する。（　　）
14 給食の**ギュウニュウ**を飲んだ。（　　）
15 姉は自分に**キビ**しい。（　　）
16 警報が**カイジョ**されるのを待つ。（　　）
17 自分とは**コト**なる考えも尊重する。（　　）
18 料理に**サトウ**としょうゆを加える。（　　）
19 カードを順番に**ナラ**べる。（　　）
20 犬も歩けば**ボウ**に当たる（　　）

第3回 模擬試験問題

試験時間 60分
合格ライン 140点
得点 　／200
月　日

1 次の——線の**漢字の読み**を**ひらがな**で書きなさい。

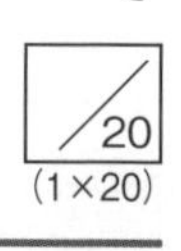

1 大会に向けて自分を奮い立たせる。（　　）
2 蚕はくわの葉を食べる。（　　）
3 世界には多くの秘境がある。（　　）
4 夏休みにおばの家を訪ねる。（　　）
5 部屋の至る所にポスターをはる。（　　）
6 今日はわが校の創立記念日だ。（　　）
7 オリンピックの聖火ランナーになる。（　　）
8 旅行中に蒸気機関車に乗った。（　　）
9 我をわすれて遊びまわる。（　　）

2 次の漢字の**部首**と**部首名**を後の□の中から選び、**記号**で答えなさい。

／10
(1×10)

〈例〉返　部首（う）　部首名（ク）

	部首	部首名
層	（1）	（2）
忠	（3）	（4）
熟	（5）	（6）
認	（7）	（8）
肺	（9）	（10）

あ 广	い 尸	う 辶	え 月	お 灬
か 疒	き 言	く 巾	け 心	こ 日

10 新しい内閣総理大臣が指名される。（　　）
11 郷里の家族に思いをはせる。（　　）
12 期日を守って納税を済ませた。（　　）
13 お地蔵さまに手を合わせる。（　　）
14 沿道で優勝パレードを見物する。（　　）
15 干していたタオルを取りこむ。（　　）
16 厳しい評価で知られる先生。（　　）
17 決行前に綿密な話し合いを行う。（　　）
18 冬になって白鳥が姿を見せる。（　　）
19 英語の歌詞の意味を調べる。（　　）
20 初雪や机の上にひとにぎり（　　）

ア ひ　イ まだれ　ウ にくづき　エ ごんべん
オ やまいだれ　カ はば　キ こころ
ク しんにょう しんにゅう　ケ れんが れっか　コ かばね しかばね

3 次の漢字の**太い画**のところは**筆順の何画目**か、また**総画数は何画**か、**算用数字**（1、2、3…）で答えなさい。

/10 (1×10)

〈例〉**定**　何画目（5）　総画数（8）

皇将裁陛孝

	何画目	総画数
孝	1（　）	2（　）
陛	3（　）	4（　）
裁	5（　）	6（　）
将	7（　）	8（　）
皇	9（　）	10（　）

4 次の——線の**カタカナ**の部分を**漢字一字**と**送りがな（ひらがな）**になおしなさい。

/10 (2×5)

〈例〉クラブのきまりを**サダメル**。 定める

1 交通ルールに**シタガウ**。（　　）
2 兄は病院に**ツトメテ**いる。（　　）
3 ジャンプしたが着地が**ミダレル**。（　　）
4 つまみ食いの**ウタガイ**を晴らす。（　　）
5 体育館にいすを**ナラベル**。（　　）

5 漢字の読みには**音**と**訓**があります。次の**熟語の読み**は□の中のどの組み合わせになっていますか。ア〜エの**記号**で答えなさい。

/20 (2×10)

ア 音と音　イ 音と訓
ウ 訓と訓　エ 訓と音

1 除草（　　）
6 役割（　　）

7 後の□の中のひらがなを漢字になおして、**対義語**（意味が反対や対(つい)になることば）と、**類義語**（意味がよくにたことば）を書きなさい。□の中のひらがなは**一度だけ**使い、**漢字一字**を書きなさい。

/20 (2×10)

対義語

実物—（1）型（　　）
水平—（2）直（　　）
定例—（3）時（　　）
地味—（4）手（　　）
往復—（5）道（　　）

類義語

広告—（6）伝（　　）
処理—始（7）（　　）
重荷—負（8）（　　）

2 針金（　　）
3 番組（　　）
4 係員（　　）
5 縦笛（　　）
7 紅白（　　）
8 灰皿（　　）
9 麦茶（　　）
10 絹製（　　）

自分ー自（9）
明日ー（10）日

かた・こ・すい・せん・たん
は・まつ・も・よく・りん

6

次の**カタカナ**を**漢字**になおし、**一字だけ**書きなさい。

/20 (2×10)

1 工業地**イキ**（　　）
2 公**シュウ**道徳（　　）
3 技術**カク**新（　　）
4 永久**ジ**石（　　）
5 **カブ**式会社（　　）
6 器械体**ソウ**（　　）
7 器楽合**ソウ**（　　）
8 栄養**ホ**給（　　）
9 大同小**イ**（　　）
10 森林資**ゲン**（　　）

8

後の□の中から漢字を選んで、次の意味にあてはまる**熟語**を作りなさい。答えは**記号**で書きなさい。

/10 (2×5)

〈例〉本をよむこと。（読書）　シ／サ

1 ずたずたにたち切ること。
2 なまえが広く知られていること。
3 内部に取り入れること。
4 一生の終わりのころ。
5 生活や行いのもとになるきまり。

ア 収　イ 断　ウ 年　エ 著　オ 規　カ 吸
キ 名　ク 律　ケ 寸　コ 晩　サ 書　シ 読

9

漢字を二字組み合わせた熟語では、二つの漢字の間に意味の上で、次のような関係があります。

/20 (2×10)

ア　反対や対になる意味の字を組み合わせたもの。（例…**強弱**）

イ　同じような意味の字を組み合わせたもの。（例…**進行**）

ウ　上の字が下の字の意味を説明（修飾）しているもの。（例…**国旗**）

エ　下の字から上の字へ返って読むと意味がよくわかるもの。（例…**消火**）

次の**熟語**は、右のア～エのどれにあたるか、**記号**で答えなさい。

1　温暖（　　）
2　厳禁（　　）
3　取捨（　　）
4　挙式（　　）
6　去来（　　）
7　植樹（　　）
8　開閉（　　）
9　帰宅（　　）

11

次の――線の**カタカナ**を**漢字**になおしなさい。

/40 (2×20)

1　スポーツ観戦をして**モり**上がった。（　　）
2　自然の美を題材に**ハイク**を作る。（　　）
3　ほこらしそうに**ムネ**を張った。（　　）
4　**ホネ**の折れる作業をさせられる。（　　）
5　学芸会の**ゲキ**で主役を務める。（　　）
6　部屋の**マド**から光が差しこむ。（　　）
7　都心は**コウソウ**ビルが多い。（　　）
8　生徒会長の**シュウニン**式が行われる。（　　）
9　家に帰ってきたらまず手を**アラ**う。（　　）
10　テープを**マ**いて枝を固定する。（　　）

5 困苦（　　）

10 諸国（　　）

10 次の――線の**カタカナ**を**漢字**になおしなさい。

/20 (2×10)

1 鏡に**ウツ**った顔を見る。（　　）

2 黒板の字をノートに書き**ウツ**す。（　　）

3 留守電が一**ケン**入っていた。（　　）

4 乗車**ケン**を前もって買っておく。（　　）

5 故**ショウ**した自転車を修理した。（　　）

6 サッカーの試合で右足を負**ショウ**した。（　　）

7 電車の時**コク**を確認する。（　　）

8 予想外の**コク**白におどろく。（　　）

9 不作のために野菜の**ネ**が上がる。（　　）

10 大きな木が地中に**ネ**を張る。（　　）

11 **ムズカ**しくてもあきらめない。（　　）

12 **イズミ**の水に手をひたす。（　　）

13 送り先の**ユウビン**番号を調べる。（　　）

14 指定された**ザセキ**で待つ。（　　）

15 テストに備えて**タイサク**する。（　　）

16 近所の美化活動を**スイシン**する。（　　）

17 資料を**カンケツ**にまとめる。（　　）

18 **センモン**家に相談する。（　　）

19 病院で病人の**カンゴ**をする。（　　）

20 **ゼン**は急げ（　　）

本試験の答案用紙のサンプル

本試験で配られるB4サイズの答案用紙は、裏まで続いています。

5級ではすべて記述式となっています。受検する前に一度確認しておきましょう。

表面

訂正

性別 男 女

生年月日 西暦 年 月 日

※印字されていない場合は、□の中に生年月日を記入。
<記入例>
生年月日が2001年(平成13年)1月1日なら
2001年 01月 01日

訂正 西暦 年 月 日

※生年月日がちがう場合、訂正にマークし、■の中に正しい生年月日を記入。

のぬりかた
○のようにをきれいにぬりつぶしてください。 ○ ×

ご記入いただきました個人情報は、当協会の検定にかかわる業務にのみ使います。

(ただし、検定にかかわる業務に際し、業務提携会社に作業を委託する場合があります。)

ご記入いただきました個人情報にかかわるお問い合わせは、下記までおねがいします。

(公財) 日本漢字能力検定協会 https://www.kanken.or.jp/privacy/

(一) 読み (20) 1×20

11	10	9	8	7	6	5	4	3	2	1

(三) 画数(算用数字) (10) 1×10

4	3	2	1
画	画目	画	画目

(二) 部首と部首名(記号) (10) 1×10

6	5	4	3	2	1

(五) 音と訓(記号) (20) 2×10

5	4	3	2	1

(四) 漢字と送りがな(ひらがな) (10) 2×5

5	4	3	2	1

※受検番号、氏名、生年月日などはあらかじめ印字されています。まちがって印字されている場合は訂正らんに記入しましょう。

裏　面

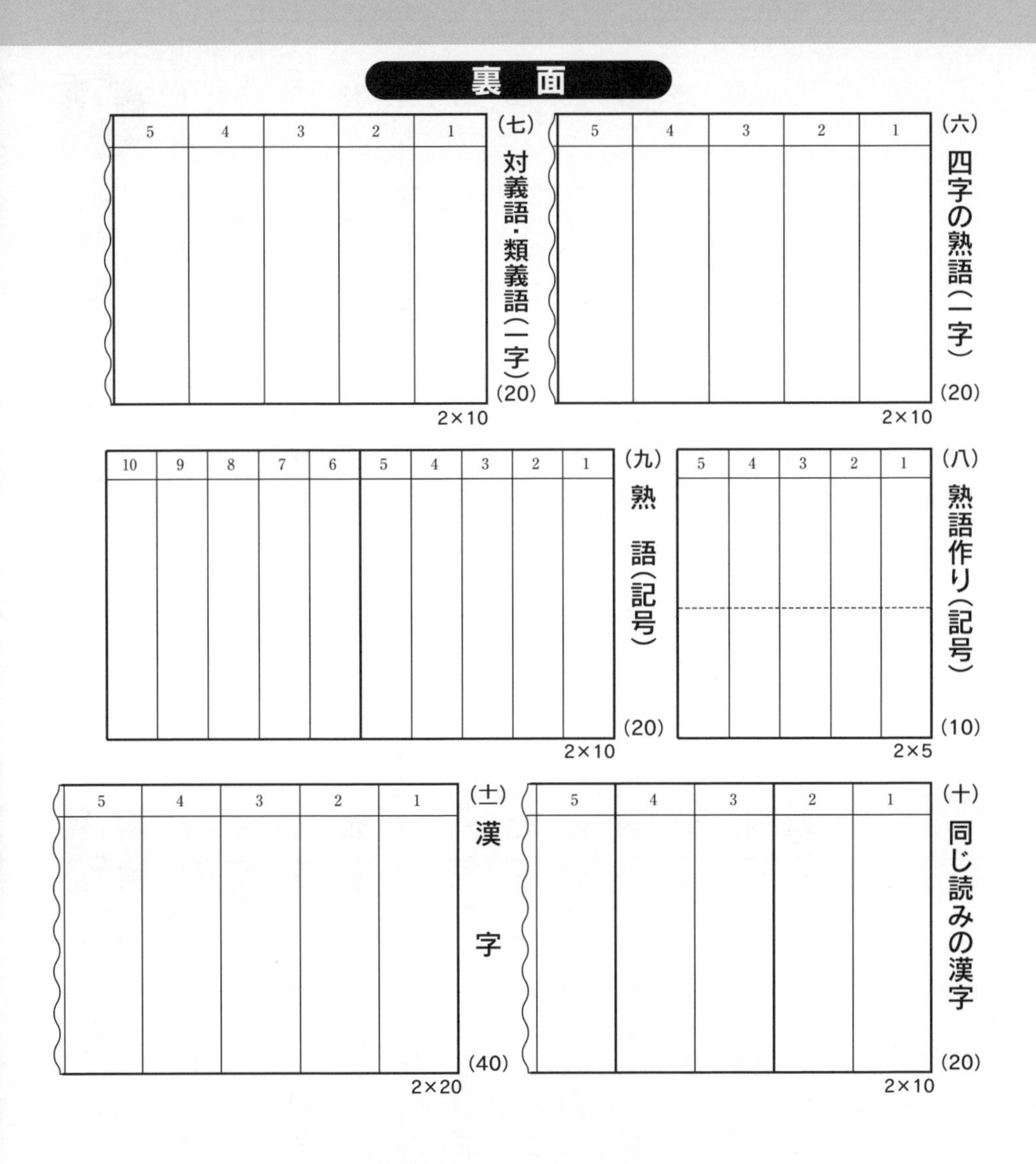

その他の注意点

答案用紙はおりまげたり、よごしたりしてはいけません。

答えはHB以上のこいえんぴつまたはシャープペンシルで大きくはっきりと書きましょう。答えはすべて答案用紙に記入し、答えが書けなくても必ず提出しましょう。

Aランク 配当漢字表①読み

1 ちいき 2 うつ 3 ま 4 す
5 むね 6 きんりょく 7 かんげき 8 よ
9 ざ 10 す 11 さば 12 すがた
13 わか 14 したが 15 のぞ 16 た
17 も 18 そ 19 どくそう 20 まど
21 そうち 22 さが 23 いた 24 こうふん
25 たから 26 もよう 27 えいぞう
28 えまきもの 29 こきゅう 30 きょうい
31 すじ 32 はげ 33 てんこ 34 へんさい
35 ようさい 36 しせい 37 じょや 38 がっそう
39 ふくそう 40 たんけん 41 すいちょく
42 ふる 43 こくほう 44 きぼ 45 どうそうかい
46 つうかい

Aランク 配当漢字表①書き取り

1 区域 2 映画 3 巻 4 深呼吸
5 度胸 6 筋 7 激 8 呼
9 座席 10 済 11 裁 12 姿
13 若者 14 従 15 除 16 垂
17 盛 18 染 19 演奏 20 窓
21 包装 22 探 23 痛 24 興奮
25 宝 26 模様 27 地域 28 映
29 巻 30 吸 31 胸 32 筋肉
33 感激 34 星座 35 経済 36 裁判
37 姿勢 38 若葉 39 垂直 40 従来
41 服装 42 車窓 43 痛切
44 奮 45 宝石 46 模型

Aランク　配当漢字表②読み

1 いさん　2 えんき　3 えんがん　4 われ
5 ほ　6 けいご　7 みなもと　8 きび
9 ごかい　10 お　11 きざ　12 ほね
13 すいしんりょく　14 あら　15 じぞう
16 おんだんか　17 ぜっちょう　18 てんじ
19 とど　20 ちち　21 はいかん　22 はいく
23 く　24 ほうもん　25 わけ　26 おさな
27 の　28 そ　29 かんがい　30 でんげん
31 げんじゅう　32 あやま　33 ふ　34 しんこく
35 てっこつ　36 せんめんじょ　37 しょぞう
38 あたた　39 いただき　40 にゅうせいひん
41 おが　42 く　43 たず　44 つうやく
45 ようちゅう　46 こうせつりょう

Aランク　配当漢字表②書き取り

1 遺産　2 延期　3 沿　4 我
5 干　6 警報　7 資源　8 厳禁
9 誤　10 降　11 刻　12 骨
13 推理　14 洗　15 貯蔵　16 温暖
17 頂　18 展示　19 届　20 乳
21 参拝　22 俳句　23 夕暮　24 訪問
25 訳　26 幼　27 延長　28 沿岸
29 干満　30 警察官　31 厳　32 誤字
33 降　34 暖　35 骨折　36 洗顔
37 冷蔵　38 頂上　39 展開　40 牛乳
41 拝　42 暮　43 訪
44 訳　45 幼児　46 時刻

Bランク 配当漢字表①読み

1 うちゅう　2 おん　3 はい　4 わ
5 かんご　6 あぶ　7 つくえ　8 しきしゃ
9 きょうど　10 きんむ　11 あおけいとう
12 あな　13 じゅえき　14 しょうじ　15 した
16 いずみ　17 そうさ　18 ほぞん　19 たんにん
20 みと　21 せびろ　22 なら　23 し　24 わす
25 てつぼう　26 よきん　27 こんらん　28 ぎろん
29 はいいろ　30 わ　31 かんばん　32 きけん
33 きょうり　34 つと　35 あなば　36 じゅりつ
37 おんせん　38 そんざい　39 はいけい
40 なみき　41 と　42 めんぼう　43 あず
44 みだ　45 げんろん　46 みっぺい

Bランク 配当漢字表①書き取り

1 宇宙　2 恩　3 灰皿　4 割
5 看板　6 危　7 机　8 発揮
9 郷里　10 勤　11 家系　12 穴
13 樹木　14 故障　15 舌　16 温泉
17 体操　18 保存　19 負担　20 認
21 背　22 並　23 閉　24 忘
25 棒　26 預金　27 乱　28 討論
29 割合　30 看病　31 危険　32 指揮
33 郷土　34 転勤　35 果樹園
36 障害物　37 泉　38 操作　39 存在
40 分担　41 背景　42 閉　43 預
44 世論　45 閉店　46 散乱

Bランク 配当漢字表②読み

1 かくちょう 2 かぶか 3 きちょう
4 うやま 5 きぬ 6 こうちゃ 7 こんなん
8 すなどけい 9 たいさく 10 いた 11 しせん
12 い 13 たてが 14 ちぢ 15 ぶしょう
16 きず 17 じょうりゅうしゅ 18 しんようじゅ
19 せいか 20 せんでん 21 こうそう
22 とうと（たっと） 23 うちゅう 24 てき
25 こめだわら 26 はら 27 おぎな
28 ゆうしょう 29 かぶわ 30 そんちょう
31 くちべに 32 こま 33 さとう
34 だいしきゅう 35 しさつ 36 はんしゃ
37 そうじゅう 38 しゅくしゃく 39 しょうらい
40 しょうがい 41 じょうはつ 42 はり
43 せいかたい 44 どひょう 45 ちゅうふく
46 りっこうほ

Bランク 配当漢字表②書き取り

1 拡大 2 株 3 貴金属 4 敬
5 絹 6 紅茶 7 困難 8 砂場
9 対策 10 至 11 視界 12 反射
13 縦断 14 縮 15 将来 16 感傷的
17 蒸気 18 針 19 聖火 20 宣言
21 地層 22 尊敬 23 宙返 24 敵
25 俵 26 腹 27 補習 28 優勝
29 拡張 30 株式 31 貴重品 32 敬語
33 紅花 34 困 35 砂糖 36 至急
37 近視 38 射 39 縦笛 40 短縮
41 傷口 42 方針 43 宣伝 44 土俵
45 空腹 46 補

Bランク 配当漢字表③読み

1 こと 2 かくめい 3 ぶっかく 4 かんけつ
5 ぎもん 6 そな 7 げきてき 8 しょっけん
9 けんり 10 しゅうかんし 11 す 12 おさ
13 しょち 14 せんねん 15 しりぞ 16 だんさ
17 ちゅうこく 18 ちょめい 19 うんちん
20 とうろんかい 21 むずか 22 しゅのう
23 ひひょう 24 ばくふ 25 たまご
26 いちらんひょう 27 うらおもて 28 きりつ
29 いぎ 30 かいかく 31 うたが 32 ていきょう
33 じんけん 34 ざっし 35 ししゃごにゅう
36 しゅうろく 37 せんぞく 38 たいいん
39 かいだん 40 やちん 41 なんじけん
42 ずのう 43 かいまく 44 たまごや
45 てんらんかい 46 うらもん

Bランク 配当漢字表③書き取り

1 異 2 改革 3 内閣 4 簡潔
5 疑 6 供 7 人形劇 8 入場券
9 権利 10 雑誌 11 捨 12 回収
13 処理 14 専門 15 早退 16 階段
17 忠実 18 著者 19 運賃 20 討論
21 難 22 首脳 23 批判 24 幕
25 卵 26 遊覧 27 裏庭 28 法律
29 異常 30 簡単 31 疑問 32 子供
33 劇薬 34 日誌 35 年収 36 処分
37 退 38 段落 39 家賃 40 検討
41 困難 42 脳波 43 批評 44 裏口
45 規律 46 供給

Cランク 配当漢字表①読み

1 い　2 じこ　3 こくもつ　4 にさつ
5 かいこ　6 こうし　7 めいし　8 じしゃく
9 しゅうにん　10 みんしゅう　11 じゅっこう
12 たんじゅん　13 ぶしょ　14 しょこく
15 すんぽう　16 そうりつ　17 じたく　18 ねさ
19 ちょうしゃ　20 だいちょう　21 しゅうのう
22 ばん　23 ひでん　24 かたあし　25 じゅうまい
26 みつど　27 ゆうびんきょく　28 めいろう
29 ざっこく　30 ようさんぎょう　31 かし
32 せいじ　33 しゅうしょく　34 かんしゅう
35 せいじゅく　36 じゅんしん　37 しょめい
38 すんぜん　39 きたく　40 かち　41 おさ
42 たいきばんせい　43 ひさく　44 かたみち
45 ろうどく　46 ひしょ

Cランク 配当漢字表①書き取り

1 胃薬　2 自己　3 穀類　4 冊
5 養蚕　6 私　7 動詞　8 磁石
9 就任　10 公衆　11 熟読　12 純白
13 部署　14 諸島　15 寸前　16 創立
17 宅配　18 値　19 気象庁　20 胃腸
21 収納　22 今晩　23 秘書　24 片側
25 枚数　26 密閉　27 郵便　28 朗報
29 別冊　30 蚕　31 私鉄　32 作詞
33 就職　34 衆議院　35 半熟　36 単純
37 消防署　38 一寸　39 住宅　40 値段
41 納　42 晩　43 秘密　44 二枚目
45 朗読　46 数値

Cランク 配当漢字表②読み

1 けんぽう
2 こうごう
3 こうこう
4 てんのう
5 こうてつ
6 しゃくはち
7 しゅうは
8 しょうち
9 じんとく
10 せいじつ
11 こせん
12 よ
13 しんぞう
14 たんじょうび
15 ちょうい
16 せいとう
17 さとう
18 はせい
19 はい
20 はんちょう
21 ひていてき
22 へいか
23 しぼう
24 どうめい
25 いよく
26 よくじつ
27 りんかい
28 おやふこう
29 こうきょ
30 しゃく
31 しゅうきょう
32 でんしょう
33 せいい
34 いっせん
35 しんぜん
36 ないぞう
37 せいたん
38 しおかぜ
39 やとう
40 とうぶん
41 とくはいん
42 はいこきゅう
43 ひけつ
44 しょくよく
45 よくげつ
46 りんきおうへん

Cランク 配当漢字表②書き取り

1 憲法
2 皇后
3 孝行
4 縮尺
5 宗教
6 誠実
7 金銭
8 親善
9 心臓
10 誕生日
11 潮
12 糖分
13 肺
14 班長
15 安否
16 亡命
17 加盟
18 欲
19 翌週
20 臨時

部首と部首名　解答

本冊 54 ～ 61 ページ

A ランク　部首と部首名①

1 し	7 え	13 す	19 お	25 さ	31 せ
2 ケ	8 オ	14 ス	20 ア	26 キ	32 コ
3 い	9 き	15 こ	21 え	27 か	33 い
4 イ	10 ア	16 カ	22 セ	28 イ	34 シ
5 く	11 か	17 け	23 く	29 け	35 こ
6 エ	12 セ	18 キ	24 カ	30 サ	36 ウ

A ランク　部首と部首名②

1 お	7 あ	13 さ	19 す	25 せ	31 か
2 オ	8 イ	14 ケ	20 カ	26 セ	32 イ
3 え	9 け	15 く	21 さ	27 あ	33 え
4 キ	10 ス	16 コ	22 ケ	28 ア	34 オ
5 せ	11 き	17 し	23 し	29 い	35 こ
6 シ	12 エ	18 ウ	24 キ	30 シ	36 ウ

B ランク　部首と部首名

1 か	7 こ	13 け	19 き	25 さ	31 す
2 オ	8 コ	14 ウ	20 イ	26 シ	32 キ
3 き	9 あ	15 し	21 い	27 け	33 お
4 サ	10 ア	16 エ	22 ア	28 サ	34 コ
5 お	11 い	17 す	23 こ	29 あ	35 か
6 シ	12 イ	18 カ	24 カ	30 ケ	36 エ

C ランク　部首と部首名

1 か	7 い	13 け	19 き	25 お	31 け
2 セ	8 シ	14 ア	20 ウ	26 ス	32 ア
3 え	9 お	15 せ	21 か	27 あ	33 く
4 エ	10 オ	16 イ	22 イ	28 キ	34 オ
5 し	11 き	17 あ	23 い	29 し	35 せ
6 ス	12 ウ	18 コ	24 シ	30 カ	36 セ

Aランク 画数

番号	答	番号	答	番号	答	番号	答	番号	答	番号	答	番号	答
1	3	9	7	17	8	19	8	27	9	35	1	43	3
2	7	10	9	18	12	20	10	28	13	36	12	44	10
3	3	11	10			21	4	29	8	37	13	45	3
4	9	12	12			22	5	30	11	38	15	46	7
5	1	13	3			23	3	31	4	39	9	47	6
6	14	14	5			24	10	32	9	40	15	48	10
7	5	15	5			25	8	33	9	41	1	49	10
8	7	16	8			26	14	34	12	42	10	50	11

Bランク 画数

番号	答	番号	答	番号	答	番号	答	番号	答	番号	答	番号	答
1	5	9	9	17	4	19	3	27	10	35	8	43	8
2	8	10	15	18	8	20	8	28	16	36	10	44	11
3	4	11	7			21	11	29	9	37	8	45	6
4	9	12	8			22	13	30	14	38	16	46	11
5	4	13	11			23	8	31	8	39	3	47	7
6	9	14	14			24	13	32	11	40	4	48	13
7	5	15	2			25	6	33	5	41	5	49	13
8	12	16	7			26	8	34	9	42	8	50	15

Cランク 画数①

番号	答	番号	答	番号	答	番号	答	番号	答	番号	答	番号	答
1	4	9	11	17	10	19	8	27	7	35	7	43	9
2	15	10	14	18	11	20	12	28	10	36	9	44	12
3	8	11	4			21	12	29	10	37	7	45	6
4	11	12	10			22	14	30	15	38	11	46	7
5	5	13	7			23	1	31	3	39	11	47	6
6	6	14	10			24	4	32	10	40	13	48	8
7	11	15	4			25	11	33	1	41	6	49	1
8	12	16	6			26	12	34	11	42	9	50	17

Cランク 画数②

番号	答	番号	答	番号	答	番号	答	番号	答	番号	答	番号	答
1	6	9	4	17	3	19	8	27	5	35	12	43	3
2	11	10	11	18	6	20	11	28	8	36	14	44	7
3	8	11	3			21	12	29	8	37	4	45	8
4	10	12	13			22	12	30	13	38	5	46	9
5	6	13	5			23	3	31	4	39	7	47	2
6	8	14	16			24	7	32	11	40	11	48	10
7	14	15	4			25	11	33	13	41	6	49	2
8	18	16	13			26	12	34	13	42	8	50	18

Aランク 送りがな

1 異なる
2 割れる
3 危ない
4 疑う
5 供える
6 敬う
7 激しい
8 厳しい
9 刻む
10 困る
11 捨てる
12 従う
13 除く
14 垂れる
15 洗う
16 縮まる
17 染める
18 痛い
19 届ける
20 納める
21 拝む
22 並べる
23 閉じる
24 補う
25 忘れる
26 幼い
27 乱れる
28 認める
29 勤める
30 暮れる

Bランク 送りがな

1 誤る
2 預ける
3 済ます
4 裁く
5 至る
6 縮れる
7 垂らす
8 痛める
9 難しい
10 並ぶ
11 訪ねる
12 延ばす
13 降りる
14 若い
15 収める
16 従える
17 尊い
18 探す
19 暖かい
20 頂く
21 届く
22 退く
23 奮う
24 尊ぶ
25 並びに
26 閉まる
27 暮らす
28 映す
29 縮む
30 染まる

Aランク 音と訓①

1	2	3	4	5	6	7	8
ア	エ	ア	ウ	ウ	イ	ウ	ウ
9	**10**	**11**	**12**	**13**	**14**	**15**	**16**
ア	ウ	ウ	エ	ア	ウ	ウ	ウ
17	**18**	**19**	**20**	**21**	**22**	**23**	**24**
エ	ウ	ア	エ	ウ	ウ	ア	ウ
25	**26**	**27**	**28**	**29**	**30**	**31**	**32**
ウ	ウ	ア	ア	ウ	イ	ア	ウ
33	**34**	**35**	**36**				
ウ	ア	ア	イ				

Aランク 音と訓②

1	2	3	4	5	6	7	8
ウ	ア	イ	イ	エ	エ	ウ	ウ
9	**10**	**11**	**12**	**13**	**14**	**15**	**16**
エ	エ	イ	エ	エ	エ	イ	エ
17	**18**	**19**	**20**	**21**	**22**	**23**	**24**
イ	エ	イ	イ	ウ	イ	エ	イ
25	**26**	**27**	**28**	**29**	**30**	**31**	**32**
イ	ウ	エ	イ	エ	ア	イ	イ
33	**34**	**35**	**36**				
エ	イ	エ	ア				

Bランク 音と訓

1	2	3	4	5	6	7	8
エ	ウ	ア	イ	ア	ウ	ア	ア
9	**10**	**11**	**12**	**13**	**14**	**15**	**16**
エ	ア	ウ	ア	ア	ア	エ	ア
17	**18**	**19**	**20**	**21**	**22**	**23**	**24**
イ	ア	イ	ア	ア	ウ	ア	エ
25	**26**	**27**	**28**	**29**	**30**	**31**	**32**
イ	エ	ア	イ	ア	エ	イ	ウ
33	**34**	**35**	**36**				
ア	イ	ア	ア				

Cランク 音と訓①

1	2	3	4	5	6	7	8
ア	ウ	ア	エ	ア	ア	ア	ウ
9	**10**	**11**	**12**	**13**	**14**	**15**	**16**
ウ	ア	ア	ア	イ	ア	ア	イ
17	**18**	**19**	**20**	**21**	**22**	**23**	**24**
ア	ウ	ア	ウ	ア	ア	ア	ウ
25	**26**	**27**	**28**	**29**	**30**	**31**	**32**
ア	ウ	ア	ア	ア	ウ	ア	ア
33	**34**	**35**	**36**				
ア	ウ	ア	ア				

Cランク 音と訓②

1	2	3	4	5	6	7	8
ア	ア	イ	ア	ア	ア	エ	ア
9	**10**	**11**	**12**	**13**	**14**	**15**	**16**
ウ	ア	ア	ア	エ	ウ	ア	ア
17	**18**	**19**	**20**	**21**	**22**	**23**	**24**
ア	ウ	ウ	ア	ア	ア	ア	ア
25	**26**	**27**	**28**	**29**	**30**	**31**	**32**
ア	ア	ウ	ア	ア	ア	エ	ア
33	**34**	**35**	**36**				
ア	エ	ア	イ				

A ランク　四字の熟語

1 遺	2 域	3 宇	4 沿	5 革	6 揮
7 源	8 策	9 衆	10 針	11 宣	12 専
13 層	14 操	15 担	16 党	17 訪	18 郵
19 欲	20 臨	21 拡	22 株	23 穀	24 座
25 誌	26 磁	27 射	28 存	29 段	30 片
31 密	32 乱				

B ランク　四字の熟語①

1 射	2 宙	3 優	4 異	5 危	6 疑
7 吸	8 郷	9 権	10 純	11 私	12 誌
13 捨	14 処	15 署	16 推	17 奏	18 創
19 臓	20 難	21 脳	22 晩	23 棒	24 密
25 欲	26 臨	27 朗	28 論	29 断	30 賛
31 命	32 給				

B ランク　四字の熟語②

1 異	2 延	3 革	4 割	5 疑	6 勤
7 警	8 権	9 呼	10 刻	11 骨	12 処
13 障	14 善	15 奏	16 装	17 宅	18 探
19 値	20 補	21 密	22 欲	23 否	24 退
25 得	26 混	27 敵	28 機	29 絶	30 有
31 単	32 欠				

C ランク　四字の熟語

1 宅	2 補	3 厳	4 視	5 除	6 蒸
7 創	8 存	9 暖	10 頂	11 宝	12 異
13 模	14 論	15 遺	16 域	17 延	18 革
19 郷	20 源	21 己	22 策	23 操	24 射
25 就	26 衆	27 宣	28 専	29 善	30 担
31 郵	32 臨				

A ランク　対義語・類義語①

1 疑	2 収	3 権	4 縮	5 垂	6 誕
7 域	8 処	9 値	10 将	11 宣	12 宅
13 密	14 臨	15 段	16 派	17 片	18 奮
19 著	20 誠	21 忠	22 展	23 亡	24 幕

A ランク　対義語・類義語②

1 将	2 延	3 模	4 危	5 著	6 純
7 収	8 背	9 段	10 樹	11 誕	12 疑
13 暖	14 宅	15 亡	16 臨	17 痛	18 就
19 朗	20 展	21 揮	22 寸	23 忠	24 著

B ランク　対義語・類義語

1 済	2 簡	3 源	4 私	5 難	6 吸
7 異	8 貴	9 激	10 己	11 就	12 論
13 視	14 善	15 否	16 干	17 就	18 縦
19 盟	20 翌	21 俳	22 賃	23 存	24 異

C ランク　対義語・類義語

1 裏	2 私	3 閉	4 乱	5 革	6 片
7 割	8 敬	9 策	10 署	11 善	12 担
13 裏	14 密	15 縦	16 暖	17 減	18 逆
19 補	20 創	21 郷	22 勤	23 版	24 賛

A ランク 熟語作り

1 ウオ
2 エイ
3 キコ
4 アケ
5 カク
6 ケイ
7 アク
8 ウキ
9 カエ
10 オコ
11 タイ
12 チア
13 ツス
14 エケ
15 セカ
16 オソ
17 クキ
18 ウコ
19 タカ
20 アウ
21 キク
22 イソ
23 コエ
24 セオ
25 ケス
26 チツ

B ランク 熟語作り

1 アカ
2 ケイ
3 ウク
4 キエ
5 オコ
6 カウ
7 キエ
8 クオ
9 ケイ
10 コア
11 コア
12 チカ
13 ケイ
14 クキ
15 セエ
16 オタ
17 ツソ
18 スウ
19 タコ
20 クチ
21 オイ
22 エセ
23 ウソ
24 キス
25 カア
26 ツケ

C ランク 熟語作り①

1 ケキ
2 アク
3 イオ
4 エウ
5 コカ
6 アウ
7 オク
8 カイ
9 コエ
10 キケ
11 チキ
12 セク
13 スツ
14 タイ
15 カア
16 ウソ
17 エケ
18 コオ
19 ウタ
20 ツイ
21 アキ
22 カエ
23 オス
24 コク
25 ケソ
26 セチ

C ランク 熟語作り②

1 アケ
2 クイ
3 コオ
4 ウカ
5 キエ
6 コイ
7 オケ
8 クエ
9 ウキ
10 アカ
11 アエ
12 キコ
13 クウ
14 イケ
15 チオ
16 セス
17 タツ
18 ソカ
19 クソ
20 イケ
21 アタ
22 ウコ
23 エチ
24 カセ
25 オツ
26 キス

熟語の構成　解答

本冊 108 ～ 115 ページ

A ランク　熟語の構成

1 イ　2 エ　3 ア　4 イ　5 イ　6 エ　7 イ
8 エ　9 ウ　10 イ　11 ア　12 ア　13 イ　14 ア
15 イ　16 ア　17 イ　18 イ　19 ア　20 イ　21 ア
22 イ　23 ア　24 エ　25 ア　26 ア　27 ウ　28 ウ
29 エ　30 ウ　31 エ　32 ウ　33 エ

B ランク　熟語の構成①

1 ウ　2 ウ　3 ウ　4 エ　5 エ　6 エ　7 ウ
8 ア　9 ウ　10 エ　11 エ　12 エ　13 ウ　14 エ
15 ア　16 ア　17 エ　18 イ　19 エ　20 ウ　21 エ
22 ウ　23 ウ　24 イ　25 ウ　26 エ　27 イ　28 ウ
29 エ　30 エ　31 ウ　32 ウ　33 ウ

B ランク　熟語の構成②

1 ウ　2 ア　3 イ　4 エ　5 エ　6 ウ　7 イ
8 ア　9 ウ　10 ウ　11 イ　12 ウ　13 エ　14 ウ
15 ウ　16 エ　17 ウ　18 ウ　19 ア　20 エ　21 ア
22 イ　23 ウ　24 イ　25 ウ　26 ウ　27 イ　28 ア
29 ア　30 エ　31 ウ　32 エ　33 ウ

C ランク　熟語の構成

1 ア　2 ア　3 ウ　4 ウ　5 イ　6 ウ　7 エ
8 ウ　9 イ　10 ウ　11 ウ　12 イ　13 ウ　14 ウ
15 ア　16 ウ　17 ア　18 ウ　19 ウ　20 ア　21 ウ
22 イ　23 ウ　24 ウ　25 ウ　26 エ　27 ウ　28 ウ
29 ウ　30 イ　31 ウ　32 ウ　33 ア

A ランク　同じ読みの漢字

1 任　2 済　3 箇　4 看　5 降　6 効
7 装　8 層　9 操　10 己　11 呼　12 臓
13 蔵　14 刻　15 穀　16 写　17 映　18 移
19 塩　20 潮　21 視　22 私　23 聖　24 誠
25 泉　26 専　27 映　28 衛　29 揮　30 貴
31 危　32 遺　33 異　34 暖　35 段　36 供
37 備　38 納　39 脳　40 拡　41 閣　42 傷
43 将　44 障

B ランク　同じ読みの漢字

1 磁　2 辞　3 背　4 拝　5 裁　6 細
7 友　8 共　9 供　10 警　11 系　12 幼
13 容　14 勤　15 努　16 庁　17 頂　18 潮
19 秘　20 費　21 律　22 率　23 垂　24 推
25 乱　26 覧　27 券　28 権　29 衆　30 就
31 宗　32 優　33 郵　34 延　35 沿　36 劇
37 激　38 疑　39 議　40 舎　41 射　42 値
43 音　44 根

C ランク　同じ読みの漢字

1 原　2 腹　3 郷　4 供　5 臨　6 輪
7 孝　8 紅　9 鋼　10 展　11 点　12 治
13 納　14 暴　15 棒　16 探　17 担　18 誕
19 居　20 射　21 勤　22 筋　23 著　24 貯
25 吸　26 救　27 創　28 奏　29 糖　30 党
31 討　32 準　33 純　34 池　35 値　36 親
37 針　38 巻　39 干　40 退　41 隊　42 処
43 署　44 諸

Memo

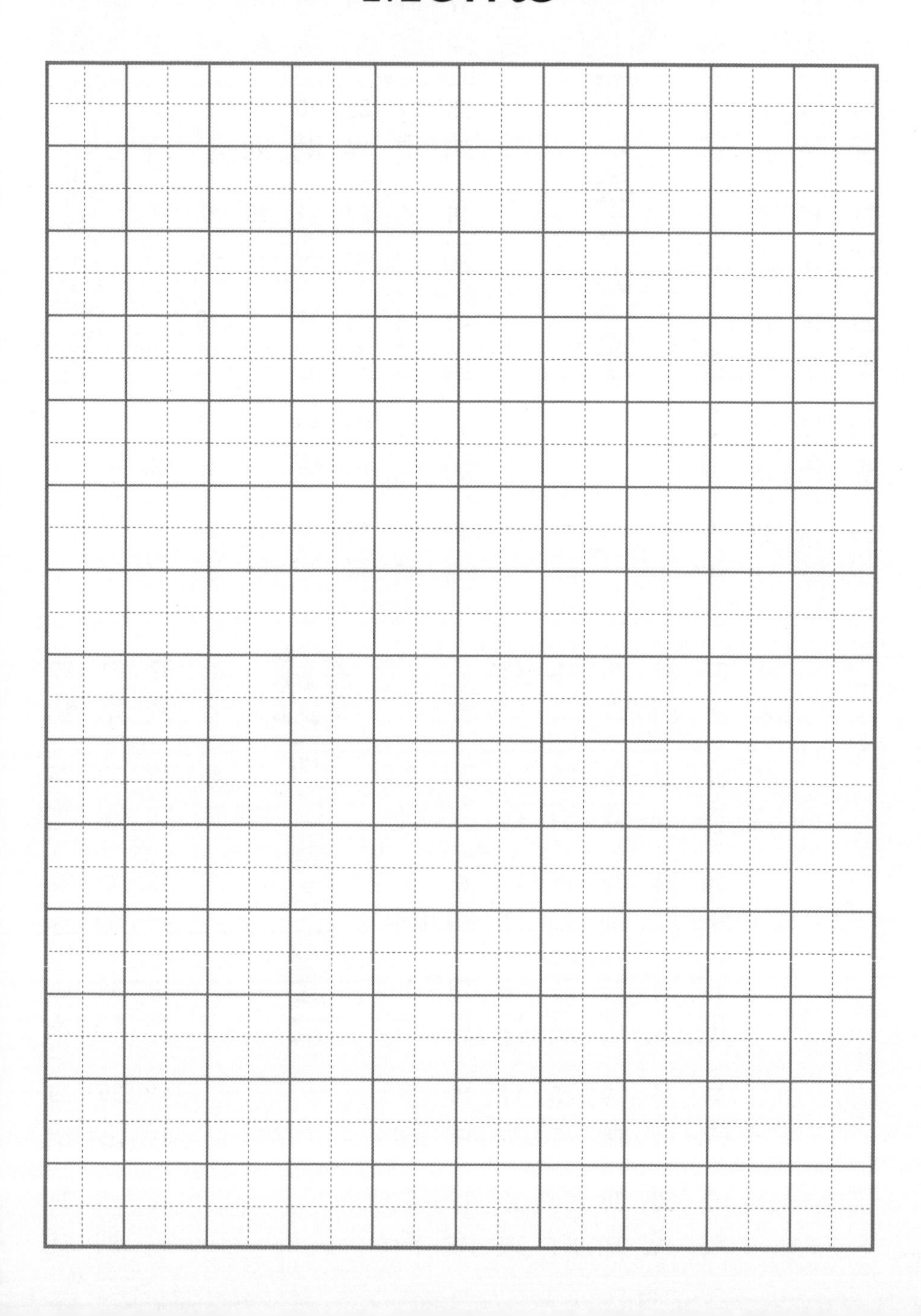

※矢印の方向に引くと別冊が取り外せます。